CHRONIQUES MATINALES

Gilles Archambault

CHRONIQUES
MATINALES

Boréal

Les Éditions du Boréal sont inscrites au Programme de subvention globale du Conseil des Arts du Canada.

© Les Éditions du Boréal
Dépôt légal: 1ᵉʳ trimestre 1989
Bibliothèque nationale du Québec

Diffusion au Canada: Dimedia
Distribution en France: Les Éditions du Seuil

Données de catalogage avant publication (Canada)
Archambault, Gilles, 1933-

Chroniques matinales
(Collection Papiers collés)
ISBN 2-89052-279-2

1. Québec (Province) – Conditions sociales – 1960- .
2. Québec (Province) – Politique et gouvernement –
1985- . 3. Québec (Province) – Civilisation – 20ᵉ siècle.
I. Titre. II. Collection.

FC2925.2.A72 1989   971.4'0   C89-96059-3
F1053.2.A72 1989

«Se lever de bonne heure, plein d'énergie et d'entrain, merveilleusement apte à commettre quelque vilenie insigne.» Cette «pensée étranglée» de Cioran me convient. Si le matin ne m'incline pas particulièrement aux basses actions, il m'est depuis une bonne quinzaine d'années propice à l'écriture. J'ai été un écrivain nocturne, je ne le suis plus. C'est au commencement du jour que me sont venues les chroniques qu'on lira dans ce recueil. Écrites à d'autres moments, elles auraient été un peu plus désespérées. L'espoir survit mal au commerce du monde.

G.A.

«Tout homme habite une île déserte, et les bateaux n'y passent qu'à l'horizon.»

ALEXANDRE VIALATTE,
Antiquité du grand chosier

Archambault l'insondable

Je connais Gilles Archambault depuis plus de cinquante ans. Au début, nos relations furent un peu distantes. Il n'écrivait pas alors, semblant préférer les longs moments de silence suivis de cris qui traduisaient déjà chez lui un besoin d'affirmation plutôt singulier. Vers sa troisième année, il découvrit le monde des lettres sous la forme de petits cubes qu'il apprit très tôt à identifier. Petit à petit, l'œuvre s'édifiait à son rythme, loin du rythme tapageur de l'institution littéraire.

Méconnu, Archambault? C'est l'évidence. Il n'a jamais monnayé son talent et ne confie sa vision du monde qu'aux rares acheteurs de ses livres. Loin de courtiser ces derniers, il cherche plutôt à les semer en cours de route. N'en est-il pas rendu à son sixième éditeur, et ne cesse-t-il pas périodiquement d'écrire afin d'abandonner les lecteurs aux écrivains débutants? La foule embarrasse l'auteur de *La fuite immobile*. Son idée du bonheur, il l'a souvent répété, consisterait à dormir dans l'œil gauche de la statue de la Liberté, à condition qu'il n'y vente pas trop fort.

11

De l'enfance et de l'adolescence de ce météore de nos lettres, je dirai peu. Seul l'homme mûr m'importe. L'écrivain de haut vol qui écrivit en 1959 que le duplessisme avait assez duré a toujours été pour moi un phare. Son attitude face au pouvoir politique est en tout point exemplaire. De sa vie, il ne s'est approché que de deux hommes politiques. Les deux furent ministres de la Culture. Faut-il y voir un signe? Du premier, le poète Gérald Godin, rencontré dans le métro, il n'accepta qu'un *chewing gum* et deux minutes de conversation. L'autre, Clément Richard, profita d'un moment d'inattention pour lui asséner un prix littéraire qui le traumatisa.

Il faut quand même que je dise que Gilles Archambault a été un jeune homme bien élevé, qu'il n'a jamais bu de bière à même le goulot et qu'il a porté une cravate en soie pure jusqu'à la fin des années soixante. La chevelure un peu longue qu'il affichait alors n'était qu'une concession aux mœurs de l'époque. Il m'a maintes fois confié qu'il était nettement favorable aux tenues soignées et que son relatif laisser-aller vestimentaire n'était qu'une autre manifestation de sa délicatesse. Ne jamais heurter les autres, telle est sa règle de vie, imitée de Benjamin Constant.

Si, en cercles fermés, Archambault n'a jamais craint de pourfendre les gloires politiques du moment, il a été très discret dans ses écrits sur cet aspect de sa vie intellectuelle. Un tantinet élitiste, et fier de l'être, il a toujours cru que les hommes qui vendent leur peuple pour le médiocre plaisir d'apposer leur signature au bas d'un parchemin que leur tend une reine de carnaval n'ont aucune importance historique. Un jour qu'il était en verve, il a prétendu que le référendum perdu de 1980 marquait la fin de sa vie d'intellectuel québécois. Il exagérait.

L'essentiel de son action, ce sont les livres qu'il a écrits. Il nous les a proposés à un rythme assez régulier.

S'il n'avait pas dû tendre le biberon la nuit à ses enfants, n'aurions-nous pas eu des livres plus volumineux? Je tressaille parfois à la pensée de ce qu'auraient pu donner ces vingt pages de *La vie à trois* que nous ne lirons jamais. Il m'a confessé dans un moment d'abandon qu'il écrivit *Parlons de moi* dans un salon de coiffure désaffecté. Ajoutant en riant (car il a de l'humour, le bougre) que cela ne faisait pas de lui un raseur, il n'en rêvait pas moins pendant des heures devant cette chaise dans laquelle s'étaient assis des générations de clients. Combien étaient morts, combien perpétuaient leur vie inutile et niaise? La mélancolie, on le sait, a toujours été pour lui un état privilégié. Le rêve et lui ne font qu'un. *Stupeurs* est le résultat direct de nuits agitées. Est-ce le pyjama rose acheté lors d'un voyage à Bordeaux ou son amour des sauces à base de crème qui lui a fourni cette riche inspiration? Le saura-t-on jamais? Archambault n'est pas bavard.

Lorsqu'en 1981 on lui décerna le prix Athanase-David, il crut d'abord à une plaisanterie. Et puis, qui était ce David au prénom si archaïque? Lui dont les tirages confidentiels étaient la gloire, ne risquait-il pas d'être confondu dans la masse de ces faiseurs de livres qui envoient des fleurs aux femmes des critiques et qui vont parler de littérature québécoise en banlieue sud de Dakar? Lui qui se croyait si pur, lui qui *est* pur? Pourtant, il eut la faiblesse d'accepter, même si la liste des écrivains par ce prix honorés ne lui plaisait vraiment pas tout à fait. Cette faille dans le système de défense d'Archambault m'a inquiété à l'époque. Pourquoi avait-il trahi? Son image d'homme intègre, timide et réservé n'allait-elle pas souffrir de cet éclairage trop violent? Un monde s'écroulait. Si un homme de sa trempe se compromettait, que ne pouvions-nous pas craindre de ses collègues qui exhibaient leur âme dans les rares pages culturelles de nos gazettes? Archambault s'en expliqua un soir devant une bouteille de Chivas Regal que lui avait offerte un admirateur fortuné. Ce goût des honneurs lui vint sur le tard, disait-il, parce qu'il voulait se rapprocher de ses semblables. Pendant les mois qui suivirent la remise du prix, il se mit même à s'intéresser à la Suède, pays des femmes blondes et de la dynamite anoblie.

À ce moment de sa vie, et à ce moment-là seulement, il aurait pu être la cible des professeurs à qui la littérature offre un gagne-pain stable, que rien ne menace si ce n'est une éventuelle privatisation de la culture autochtone. Certains se hasardèrent à lui écrire ou, pire, à lui téléphoner. Les invitations qu'il reçut de comparaître devant des élèves ne furent jamais honorées. Il écrivait alors quelques lettres froides et néanmoins polies, que leurs destinataires peuvent vendre cinq dollars pièce à la Bibliothèque nationale. Les universitaires continuèrent à s'intéresser aux œuvres d'Hubert Aquin et à faire des fleurs à ceux de leurs confrères dont ils pouvaient espérer quelque retour d'ascenseur. Archambault a beaucoup ri des travers du milieu, mais n'en est-il pas chagriné parfois? Vers minuit, alors que la ville dort, ne verse-t-il pas quelques pleurs émus? Nous ne le saurons jamais.

S'il est muet sur sa vie privée, Archambault n'a jamais fait mystère de sa francophilie. N'a-t-il pas toujours conservé dans une petite boîte à pilules achetée aux Galeries Lafayette un peu de terre de France prélevée aux jardins du Luxembourg? Peu sensible, on l'a vu, aux soucis de la carrière, il n'aurait pas détesté qu'un de ses ouvrages parût en France. Archambault dans la Pléiade, dit-il parfois sur un ton badin qui n'abuse personne, ce ne serait pas mal.

Ses livres, il faut le dire, il y fait rarement allusion. Très pudique, il ne les mentionne qu'en paraissant s'excuser. Ce n'est certes pas lui qui accepterait de s'exhiber comme écrivain dans les auditoriums des maisons d'enseignement. Écrivain de la tour d'ivoire sûrement, mais fier des options qu'il a faites siennes, gardien farouche de ce travail au noir mal rétribué que l'on accomplit chez soi dans un sentiment de l'honneur et qu'aucune reconnaissance publique ne pourra couronner à son juste mérite. Œuvre négligée, oubliée que la sienne? Et son auteur, travailleur de l'ombre? C'est là son plus beau titre de gloire, ainsi qu'il me le confiait l'autre jour devant les caisses de ses invendus. Si vous aviez vu ce sourire énigmatique, ce plissement des lèvres. Vraiment, Archambault est insondable.

On s'occupe de vous

Mon ami Henri est un être adorable. Il ne lit pas pour s'instruire, mais pour le plaisir. Il se sert des modes plutôt que de les servir. Il ne croit à la politique que lorsqu'elle relève de l'histoire, c'est-à-dire au moins trente ans après. Il arrive pourtant que l'inestimable Henri me soit cause de souci. Ces jours-ci par exemple. À la suite de je ne sais quel besoin de mimétisme, il s'est mis à être craintif. Pour peu qu'on prête oreille à ses admonestations, on risque de devenir timoré. Le bien-être physique, telle est son obsession du moment. Fumeur timide, depuis les vingt ans que je le connais, il n'en tient pas moins la cigarette pour un mal comparable à la peste de l'an mil.

L'autre jour, tenez, un verre de jus d'orange à la main, il me confiait d'un air triste qu'il avait dû raccourcir sa vie de trois mois par son tabagisme. Comme il semblait atterré, je ne me suis pas moqué de lui. Je le sais sensible. J'ai plutôt cherché à le calmer.

Et je m'en veux d'avoir été si prévenant. J'aurais dû

le secouer, le petit Henri. Car on est en train de me le changer. Lui toujours si prompt à se moquer, à faire des gorges chaudes à propos de tout, a tendance à devenir sérieux. Il ne voit pas qu'il glisse vers le pire des conformismes. Une branche de céleri entre deux doigts, il se réjouissait de l'interdiction de fumer en vigueur dans les lieux publics. Pour m'amuser un peu je lui représentai qu'on en viendrait peut-être à bannir la cigarette à domicile, car un mari pourrait toujours avancer que la fumée de sa légitime embrouille ses poumons. Il m'approuva tout net. Il fallait en arriver là. Jamais je n'ai eu le whisky aussi triste. Je n'ai même pas terminé mon verre. Comment voulez-vous être détendu, souriant, devant un invité qui vous tient de tels propos? Il me demanda même si je buvais toujours autant de café. Ne serait-il pas préférable de siroter un peu de verveine? Et tu veux peut-être que je me mette au jogging, ai-je rétorqué. Pourquoi pas, puisqu'il y songeait sérieusement lui-même.

Je connais Henri. Je sais bien qu'il s'apercevra bientôt du danger de la société d'interdiction qu'on nous bâtit peu à peu. Il y a toujours un risque à se promener, pancarte à la main, pour réclamer des mises au ban. Au rythme où vont les choses, des lunatiques paraderont bientôt pour protester contre la confection des plats en sauce ou le port de la jarretelle.

Que pourrais-je faire pour hâter le retour d'Henri à la vie normale? Vous savez ce que j'entends par là: une détérioration lente et inévitable de ses forces vitales, dans un esprit que ne visite pas à longueur de journée le sens de la règle à observer. Devrais-je lui offrir ces cigares de chez Davidoff qu'il aime tant? À moins que je n'ouvre cette bouteille de Château-d'Yquem que je conserve sottement depuis des lustres? Rien n'est trop beau pour le sauvetage d'un ami en péril.

Prolonger la vie

Quoi qu'on dise, on a parfois en notre pays de belles journées de printemps. Celle-ci l'était. Il y avait dans l'air de grisants effluves. Avec un peu d'imagination, on se serait cru ailleurs qu'à Montréal, dans une autre vie presque. Je me sentais plein de compassion pour l'humanité, prêt à l'aimer une fois pour toutes. Attablé à une terrasse de la rue Saint-Denis, j'en arrivais à oublier que je buvais une piquette infâme. Comment dire? J'étais heureux.

À la façon dont Henri me fit signe du trottoir, je compris que nous n'étions pas au même diapason. Le front plissé, il se dirigea vers ma table à vive allure, comme s'il voulait me gifler.

À peine fut-il assis à mes côtés qu'il entreprit d'assombrir ma journée. Il venait de lire dans une revue médicale américaine un article favorable à l'euthanasie. Il me semblait affecté comme s'il avait surpris son médecin penché sur lui un sabre à la main. En toute amitié, je l'invitai à se calmer et à commander plutôt un verre au garçon qui pour l'heure se passionnait pour les mots croisés.

Mais ne comprends-tu pas, cria-t-il presque, qu'il faut respecter la vie? Croyant peut-être qu'on s'impatientait, le garçon s'approcha l'air coupable. Henri lui demanda distraitement un Vichy, puis se tourna vers moi, de plus en plus perturbé. Si on les laisse faire, ces drôles, ils vont nous tuer à trente ans, à la première migraine! Me sentant bien à l'aise d'avoir déjà la cinquantaine, j'avançai timidement que l'auteur de l'article n'était probablement pas un boucher sanguinaire et qu'il devait bien prôner une approche sensée du problème. Il me répondit illico que la question n'était pas là. Il fallait respecter la vie. Un point, c'est tout. Il avait eu un mouvement si imprévisible que le garçon fut à un cheveu de laisser échapper le quart de Vittel. Il n'y avait plus de Vichy, expliqua-t-il avec un air de cruciverbiste désolé. Henri maugréa. Tous pareils!

Il en profita même pour enchaîner d'un seul trait sur sa préoccupation de l'instant. Accepterais-tu, me demanda-t-il, qu'on hâte la mort d'un être que tu aimes? Évidemment. Même ta mère? Bien sûr. Ta femme? Nous en parlons souvent, elle est de mon avis.

Je suppose que tu es en faveur de l'avortement, continua-t-il. Prenant un air important, je le confesse, j'avançai que, ne pouvant avoir d'enfant, je m'interdisais de refuser aux femmes la liberté de disposer de leur corps. Henri devint écarlate. Moi qui te croyais pacifiste! Tu ne veux pas qu'on tue à la guerre et tu permets à un médecin ou à une sorcière de s'attaquer à la vie?

Emporté par sa colère, il se leva tout sec et se dirigea vers la sortie sans se retourner. Connaissant bien Henri, je savais qu'il téléphonerait le soir même pour s'excuser. Il y a une dizaine d'années, c'était la politique qui nous séparait. Je ne sais lequel de nous deux s'estimait gauchiste. Nous parlons parfois de nos discussions passées avec émotion.

Prolonger la vie? Je veux bien. Le plus longtemps

possible. Mais si on veut m'empêcher de souffrir inutilement, j'aurais tendance à être reconnaissant, le moment venu. Une chose est certaine, je ne voudrais pas prolonger ma vie en compagnie de ceux qui prônent son respect à tout prix. Ils m'ennuient. Je ne fais pas allusion à Henri, bien sûr.

Éloge du tourisme

Quand j'étais adolescent, le parc George-Étienne-Cartier, dans le quartier Saint-Henri de Montréal, me fascinait. Ce n'était pas à cause du grand homme ni de ses idées politiques. Ce qui m'attirait là, c'étaient bien plutôt les fraîches jeunes filles qui franchissaient ledit parc pour se rendre à l'école Esther-Blondin. Le prénom d'Étienne, tout de même un peu bête, devint pour moi le symbole d'un certain charme féminin.

Bien des années ont passé, j'ai accompli de grandes choses, mes os ont vieilli, mais la fascination exercée sur moi par George-Étienne Cartier demeure. Je n'habite plus le même coin de la métropole, l'école des tendres étudiantes a été détruite. Le parc, je ne sais ce qu'il est advenu de lui. Non, si le Père de la Confédération hante mes jours et mes nuits, c'est que mon appartement fait face à un musée qui lui est consacré.

Musée unique au monde en ceci que, quoique d'État, il est éclairé au néon. À telle enseigne qu'un passant un peu myope pourrait, voyant en vitrine le mannequin représentant l'impérissable bâtisseur de pays, se croire à Amsterdam, dans l'une de ses rues chaudes. Je ne suis pas de ces pudibonds qui se scandalisent d'un rien, ni de ces esprits rétrogrades qui craignent les innovations, j'applaudis au progrès. Un homme politique, une figure de notre Histoire offrant ses charmes aux touristes, pourquoi pas? D'autant plus qu'il s'agit d'un musée érigé dans la maison même qu'habita le susnommé au cours d'une vie trépidante qui le mena à Ottawa, et qu'on peut visiter sa chambre à coucher.

Parfois, le soir, assis sur mon petit balcon, je me mets à rêver. Puisque cet homme du passé a son musée, pourquoi pas moi? Pas tout de suite. Je peux attendre quelques années encore, histoire d'user un peu plus à loisir les os dont je parlais il y a un moment. Mais le temps venu, je ne détesterais pas que les cars de touristes s'arrêtent au même endroit, mais pour un peu plus longtemps.

Les visiteurs, américains pour la plupart, n'y verront qu'une aubaine supplémentaire. La valeur de leur dollar les a rendus insatiables. J'imagine que les guides qui font actuellement visiter le musée George-Étienne-Cartier seront ravis d'ajouter une autre perle à leur écrin. Sans vouloir me vanter indûment, je crois que mon intérieur est plus attachant que celui de ce lointain amateur de voies ferrées.

On souhaitera peut-être m'exhiber en vitrine. Ma seule volonté en ce cas, et je l'avance en toute modestie, serait d'être en slip, un slip de la même couleur que les tubes de néon.

L'appel du large

La réputation que j'ai d'aimer le jazz m'a récemment causé bien des ennuis. Une passion si douce, qui m'a maintes fois conduit au septième ciel, m'a fait connaître les affres les plus atroces sous la forme du Festival international de jazz de Montréal.

En principe, j'aime mieux rester chez moi à regarder dormir Blanche-Neige que d'aller admirer les toiles d'un peintre à la mode ou de bâiller au théâtre. Je laisse ces préoccupations à mes contemporains qui adorent s'agiter et contemple à l'infini mes souvenirs qui n'en finissent pas de m'éblouir. Mais comment pouvais-je rester à la maison pendant un festival consacré au jazz, moi qui ne cesse de clamer que cette musique domine le vingtième siècle, moi qui échangerais bien l'œuvre complète de Joyce contre le solo de Lester Young dans *Shoe Shine Boy* ?

Des inconnus me demandaient dans la rue à quel concert je me rendais, sollicitaient des conseils, voulaient que je leur serve de guide. Puisqu'ils semblaient considérer par leurs propos et leurs attitudes que cet événement était primordial pour moi, j'ai craint de les décevoir. Jamais ils ne comprendraient mon besoin de solitude. Je me transformai donc en être grégaire. Ce qui était bouleversant, je l'avoue, c'était la joie que je lisais dans leurs yeux. Ces gens étaient heureux pour moi. J'aurais mon content de bonheur. J'exulterais. J'opinais du bonnet, je répondais qu'effectivement j'étais fou de joie, que bien sûr je ne tenais pas en place. En vérité, je tremblais, je souhaitais qu'un malaise bénin me retînt à domicile pendant une dizaine de jours.

Le destin n'a pas voulu que je fusse malade, puisque je me trouvai bientôt rue Saint-Denis. Le barrage humain qu'il fallait franchir pour atteindre la salle! Mille fois, j'ai voulu rebrousser chemin. Mais il se trouvait toujours un inconnu pour me prouver que je ne saurais vivre sans le concert que s'apprêtaient à donner des musiciens que j'admirais. J'ai cru souffrir mille morts, en pareille occurrence. Ma nature qui s'effarouche d'un rien n'est pas faite pour ces rassemblements-là. On connaît les penchants de notre bon peuple pour le houblon, mais sait-on assez qu'il est difficile de naviguer dans une mer au milieu de laquelle les boîtes de bière servent de bouées de sauvetage? Tous ces gens qui s'attroupaient au moindre prétexte, qui s'agglutinaient autour de jongleurs, de funambules, des musiciens les plus divers ou plus simplement autour d'une caisse de Molson, tous ces gens m'effrayaient. Leur faisant cortège, pour les braver peut-être, de vilains bourgeois attablés aux terrasses des cafés buvaient eux aussi de la bière, que l'on devinait de meilleure qualité. C'est ainsi que commencent les révolutions, me disais-je en écrasant quelques orteils. J'ai pu aussi vérifier qu'il est faux de prétendre qu'on ne se parle plus dans les grandes agglomérations urbaines. Parfois une main se tendait même vers moi. On semblait souhaiter une aumône, mais la promiscuité dans laquelle nous étions m'indisposait.

Ai-je aimé le Festival? Maintenant que tout est terminé, que rien ne menace plus ma sérénité, je peux répondre par l'affirmative. Je n'ai pas de pensées vengeresses au sujet d'un événement qui m'a fortement ébranlé. Blanche-Neige ronronne de bonheur. Nous nous sommes retrouvés. Je jure que je ne sortirai pas de chez moi après le coucher du soleil jusqu'à l'an prochain.

Dieu lui-même

Aussi bien le confesser tout de suite, Dieu n'est pas pour moi un sujet privilégié. Mes lectures bibliques sont lointaines et je ne suis pas sûr d'avoir su distinguer, enfant, Jésus-Christ de saint Joseph — à cause des barbes. Dieu? *My God?* J'y pense assez peu souvent. Jamais au travail en tout cas. Je dirais que c'est un être astucieux qui ne s'est jamais gêné pour imposer une idée très impérialiste de son existence. Dieu est partout, on nous l'a assez seriné. Non content de cette ubiquité, il s'est inventé une existence triple. Vaguement panthéiste, je n'ai de ces vérités qui emplissent les âmes qu'une perception bien superficielle. Mais je ne vais pas reculer pour autant. Dieu en trois personnes, pourquoi pas? Encore que je trouve que l'Esprit-Saint est un concept bien supérieur à celui du Fils rédempteur. Que peut-on imaginer de plus délicieusement élitiste? C'est volatile, aérien, ornithologique, noble. La deuxième incarnation, le Fils en croix, voilà qui sent le bénévolat, les projets communautaires, les prêtres de gauche et les concerts rock.

Pourquoi un être aussi bien de sa personne que Dieu s'est-il mis dans la tête de quémander les faveurs du peuple? Une faiblesse de sa part, sans doute.

J'ai déjà connu des gens qui en voulaient à Dieu. En règle générale, leur colère n'avait pas de cesse et ils brandissaient le poing en toute occasion. Je n'ai jamais été des leurs. Je ne lui en veux pas, à Dieu, moi. C'est son affaire, s'il préfère nous déjouer souvent, donner des rendez-vous qu'il ne respecte pas ou s'amuser à nous taper sur la tête. Pourquoi se priverait-il de jouer comme un gamin? Il est à plaindre, au fond. Ceux qui lui ressemblent autour de nous, les vainqueurs, les bâtisseurs, les chefs d'État, les possesseurs d'empires, sont des gens qui méritent notre commisération. Nous le savons, nous qui ne voulons pas de leurs richesses. Comment peuvent-ils ignorer que leurs épouses sont des infidèles qui entretiennent des gigolos à même l'argent arraché à des pauvres, lesquels sont les sosies du Fils dont je viens de parler.

Dieu? C'est peut-être un excellent garçon qui regrette d'avoir perdu les commandes de son entreprise. Je suis prêt à l'absoudre. S'il a créé la Sainte Vierge, il est capable de tout. Et c'est lui qui a permis à ma mère que je naisse. S'il refuse cette paternité lointaine, c'est qu'il n'existe pas non plus. À mon tour de jouer à cache-cache. Est-ce Dieu possible?

Déménagements

Mais quelle mouche m'a donc piqué? Une fois de plus, je déménage. Énoncé de cette façon, le mot a l'air bien inoffensif. Pourquoi ne pas changer de paysage? Pourquoi ne pas élire domicile ailleurs? D'autant que je ne quitte pas Montréal. Montréal, la laide et l'attachante, la belle et la repoussante, me servira toujours de port d'attache.

Mais enfin déménager, c'est tout une affaire. Ceux qui vous racontent que de braves gens, payés à prix d'or au reste, s'occupent de tout, sont des menteurs. Leurs beaux discours terminés, ils salissent eux aussi leurs blanches mains à des tâches bien quotidiennes.

Encore si je n'étais pas de ces rares esprits diserts dont ce monde est encore pourvu, je pourrais plus facilement faire sacrifice de mon temps. Mais non, on me réclame. On souhaite que je parle des affres de la création à Rimouski et que je défende la littérature québécoise dans une quelconque Foire du livre en province française. Et pendant ce temps quelle est mon occupation? Emplir des caisses.

Ce que je peux travailler! On jurerait qu'un mauvais génie s'est ingénié à accumuler à ma place des livres et des disques, des disques et des livres. Il y a même des moments où je souhaiterais être aussi inculte qu'au jour de ma naissance. J'aimerais mille fois mieux donner des poignées de main comme un premier ministre. Manier le cliché qui séduit les foules et les journalistes, ou vendre ma femme et mes enfants comme des détersifs, voilà qui serait bien.

Sans doute. Mais je ne peux m'y résoudre. Trop fier de mes assises intellectuelles, ainsi qu'on a dû le dire dans des colloques auxquels je n'ai pu assister, j'enfouis des livres dans des caisses. Parfois, en rangeant des ouvrages de Proust et de Stendhal dans des cartons ayant servi d'abord à la compagnie Kellog, j'ai la sensation de les ennoblir. Ça rassure. Il n'y a pas si loin du *Corn Flakes* matinal à la madeleine de l'autre.

La plupart du temps toutefois, ma conscience culturelle ne tient pas le coup. Pour un peu je lancerais au loin ces *Mémoires* de Saint-Simon que je n'ai pas encore lus au complet et qui en sont à leur quatrième tour de caisse. La mauvaise humeur aidant, j'en viens même à en vouloir à mes amis qui écrivent. Si je ne les connaissais pas, serais-je obligé de trimbaler à chaque déménagement des livres que je ne suis pas sûr de relire? Les amis sont terribles. Ils tiennent toujours à visiter votre bibliothèque. Ils prétendent vouloir vérifier un détail dans les œuvres complètes de Paulhan, mais leurs yeux baladeurs se dirigent immanquablement vers le petit roman qu'ils ont écrit. S'il fallait que vous ne l'ayez pas conservé! Une amitié s'écroulerait. Pour l'heure, c'est votre patience qui fout le camp.

Les disques, n'en parlons pas. Pendant des années, vous avez eu la bêtise de poser au collectionneur. L'étiez-vous vraiment? Une chose est certaine, on vous a proposé des merveilles que vous avez acquises avec gourmandise.

Les microsillons vous font face en rangs serrés, mais de gourmandise, point. Ils vous contemplent, ces beignets noirs sous pochettes, souvent inutiles puisqu'il ne vous viendrait pas à l'esprit de les poser sur votre électrophone. Ils ne font pourtant rien pour sauter tout seuls dans la caisse qui les attend.

Les plaisirs supérieurs, vous m'en reparlerez! Pourquoi ne me suis-je pas plutôt passionné pour le golf? Je n'aurais qu'un sac à confier aux musclés camionneurs qui frappent à ma porte.

Éloge du conférencier

Tout change dans la vie. Les auditoires, par exemple. Mon expérience en ce domaine est bien mince. Je n'ai pas très souvent affronté les foules dans ma longue et non moins fructueuse vie. Il n'empêche que les contestataires qui brandissaient Mao dès qu'une mouche volait ont cédé la place à de braves jeunes gens qui veulent savoir comment s'y prendre pour devenir riches et heureux.

Une chose est immuable cependant. Si vous êtes écrivain, amateur d'art ou passionné de musique, on s'attend à ce que votre performance, que l'on souhaite brillante, soit peu ou pas rétribuée. Un romancier ami me racontait l'autre jour que, s'étant rendu dans une maison d'enseignement pour parler d'écriture et de la carrière des lettres, il apprit que si lui ne recevrait rien en échange de ses services, l'avocat qui le suivait sur le podium récolterait deux cents dollars.

À l'abri des soucis d'argent grâce à une fortune familiale et à un sens cultivé de l'économie, je ne devrais pas me soucier de ces vétilles. L'honneur, toutefois, me commande de dénoncer cet état de choses. Car enfin, ces gens qui ne peuvent passer une soirée seuls et qui vous réclament à grands cris ont bien quelque fortune. Avec quoi paieraient-ils leurs amuse-gueules et leur piquette?

Je ne soupçonne pas de ladrerie ces organisateurs de dîners culturels. Ils ne savent pas, les pauvres, que nos livres se vendent à mille exemplaires, et encore. Ce ne sont certes pas les discours lénifiants sur la situation de la littérature québécoise qui peuvent les éclairer. On leur apprend, par exemple, que nos livres sont étudiés en Italie. Tout de suite, ils s'imaginent que les librairies de Rome et de Florence sont envahies par nos sagas laurentiennes. Et pour ne pas nous humilier, nous qui travaillons pour l'amour de l'art, ils nous glissent un cachet pudiquement baptisé de symbolique. Hélas! rien n'est plus vraiment symbolique dans ce monde pourri. Vous le saurez si le lendemain vous rendez visite à votre dentiste. En deux tours de fraiseuse, l'homme en blanc vous bouffera le fruit de cinq conférences. Ses cachets ne sont pas symboliques.

J'ai déjà songé à attaquer le problème par l'humour. La tâche n'est pas mince. D'abord parce que mon cœur et ma conscience sont ulcérés. Comment puis-je me moquer de ce qui m'humilie? J'ai tenté de le faire, sans grand succès. Il y a aussi que ces gens qui veulent tout savoir sur tout, et qui se réunissent pour apprendre, ne brillent pas par leur subtilité. Ils n'apprécient guère le non sense, les mots à double entendement. Ils ne lisent pas entre les lignes, ils prennent tout pour argent comptant — même les cachets ridicules qu'ils offrent.

À vrai dire, je ne sais plus quelle attitude adopter. Rester chez moi? Probablement. J'y suis très bien, entouré de mon chat et de mes tableaux. Mais l'humanité, me dis-je, a peut-être besoin de toi. Si tu ne consens pas à soulager sa soif de culture, qui le fera? Tu ne vas pas livrer ces innocents au poète débile et au penseur à cinq sous qui prendraient le relais si tu te désistais.

Ainsi consentirai-je pour quelque temps encore à me faire exploiter par les associations culturelles, sociales et musicales. C'est le missionnaire en moi qui en a décidé ainsi. Un missionnaire qui, certains jours, songe à s'adjoindre un agent négociateur efficace et point trop exigeant sur les pourcentages.

Un sourire, un seul

Au début de ce mois, ma vie a changé. Je suis devenu détenteur d'une carte de métro. Je conviens aisément de la banalité de la chose. Pour un esprit fragile comme le mien, toutefois, elle a de l'importance.

Depuis que j'ai pris la décision de me joindre sans réserves au peuple montréalais, je ne cesse de descendre sous terre. Tout au plaisir du voyage, j'exhibe fièrement à qui veut le voir mon titre de transport nouvellement acquis. Peut-être de façon trop ostensible, car les guichetiers ne le regardent même pas.

Les cerbères que l'on poste dans ces aquariums sans eau à l'entrée des stations ne sourient jamais. D'appétit modeste, je me contenterais d'un bref rictus. J'aimerais qu'on m'indique en quelque sorte que je suis accepté dans la confrérie des brandisseurs de cartes. Il n'en est rien. J'ai encore l'impression d'être un intrus. Peut-être au bout de quelques mois d'usage verra-t-on en moi un habitué. J'espère en silence. Je suis un rude gaillard au fond, puisque je réussissais une fois sur dix à soutirer un merci au préposé que je priais à l'époque de me vendre un ticket. Je tâtais alors timidement des transports publics. Les choses ont bien changé.

Dites-moi franchement, n'êtes-vous pas souvent étonnés de l'indifférence ou de la brusquerie des gens à qui on s'adresse dans le commerce quotidien? Il me semble qu'il fut un temps où on savait sourire. Seulement sourire. Pas plus. J'aurais horreur d'un commis qui tenterait de m'inviter à son chalet d'été pour le week-end. Un pas est si vite franchi. On avoue qu'on n'a pas détesté le homard en boîte de la marchande et on ne peut plus passer ses week-ends seul.

Comment faire comprendre à mes abrutis de contemporains la saveur exquise de la politesse? Un sourire, vous dis-je, pas plus. Si on souhaite davantage, on en redemandera.

Certains de mes amis ne remarquent même pas la froideur qui s'est immiscée dans les rapports quotidiens. Ils s'accommodent fort bien du côté impersonnel des choses.

Pendant que je méditais sur le contenu éventuel de cette prose, en métro évidemment, un jeune homme au pantalon rose (c'est son droit) m'a intimé l'ordre de lui apprendre illico à quelle station il devait descendre pour aller au Jardin botanique. Pour me remercier du renseignement précis et savamment exprimé que je lui ai donné, il s'est contenté de baisser les yeux. Il devait être distrait. Mais pourquoi la grosse dame en pantalon blanc et chemisier à carreaux (c'est aussi son droit) ne m'a-t-elle pas souri quand je lui ai cédé la place que j'occupais? Elle aussi était bien distraite.

Je ne vais capituler pour si peu. Vivement qu'arrive la fin du mois pour que je puisse me procurer une nouvelle carte mensuelle. J'en ai déjà le sourire aux lèvres.

Après le son du timbre

J'ai déjà fait partie de ceux qui ne tolèrent pas d'entendre au bout du fil la voix d'un répondeur. C'était à l'époque où je ne vivais pas au diapason de mon temps. À vrai dire, ma transformation a été plutôt lente. Mon ami Henri m'a converti à cette humble incarnation de la modernité. C'était il y a deux ans. Je lui avais téléphoné, un soir de canicule. J'aurais bien aimé qu'il fût libre, histoire de me plaindre en sa compagnie de la dégradation de cette fin de vingtième siècle. Il ne l'était pas.

Une voluptueuse voix m'apprit que «nous sommes dans l'impossibilité de vous répondre pour l'instant». Je fus renversé. Henri, vendu à une manie contemporaine qu'il dénonçait vertement un mois auparavant. Aucun doute, c'était la voix entendue qui était responsable de tout. Elle l'avait convaincu. Je versai un pleur ému sur les traditions qui se perdent, puis reformai le même numéro. Le message me parut alors plus invitant. Comment Henri, qui n'est pas très beau, avait-il pu tomber amoureux d'une telle divinité? Ou, à l'inverse, comment une beauté

pareille avait-elle condescendu à rendre Henri heureux?
Il fallait tirer l'affaire au clair.

Ce qui fut fait. Le lendemain, je tenais le verre de
cristal de Sèvres auquel j'ai toujours droit lorsque je rends
visite à Henri. Le scotch était le même, le fauteuil également.
La nouvelle égérie me parlait à l'instant. Sans le
support du répondeur, elle semblait bien fade. Un corps
un peu boudiné, le sourire hésitant. Je m'étais fait avoir
par la technologie.

Ainsi que je le rappelais d'entrée, deux ans ont passé.
Le répondeur est toujours là. Henri ne peut plus s'en
débarrasser. Le message voluptueux a laissé place à une
bonne dizaine d'autres. Je soupçonne même Henri de
ne s'intéresser à une femme que dans la mesure où elle
accepte d'enregistrer la consigne de bienvenue.

Lorsque mon ami se fait discret, qu'il est une semaine
sans me téléphoner ou qu'étant en voyage il ne m'envoie
pas de carte postale, je sais que la dame du répondeur le
quittera bientôt. Je n'ai alors qu'une curiosité, entendre
la voix de celle qui rendra Henri amoureux au moins
pendant quelques semaines.

Je souhaiterais toutefois qu'il fît montre d'un peu
plus de constance dans ses liaisons. Il m'est arrivé parfois
de me buter à des voix irritées. Le message engageant du
répondeur était bien loin. En froid avec Henri, Madeleine
ou Sophie n'aimaient pas non plus son ami. Pour un
peu, elles m'auraient prié de raccrocher. Je les dérangeais,
moi qui avais connu Henri bien avant elles, qui l'avais
consolé dans les mauvais jours. Piteusement je me retirais,
me disant que les répondeurs ont au moins la charité de
ne pas blesser.

Chaque soir depuis une semaine, c'est la voix de
Marie que j'entends. Je ne laisse jamais de message, ne
voulant pas m'imposer. J'aime l'inflexion de cette voix,
la légère hésitation qui survient au mot «message» justement.
Cette fois, je pense que mon ami sera moins

malheureux pour un peu plus longtemps. Devenu habile à détecter le code bien particulier des répondeurs, je lis dans les voix comme d'autres dans les mains. Pourvu qu'Henri ne se départisse pas de son engin diabolique. Je ne saurais vivre sans.

La rue des Pensées

On apprend des choses étonnantes en consultant l'annuaire du téléphone. Saviez-vous, par exemple, qu'existe à Montréal-Nord la rue des Pensées? Je me doute fort que l'artère en question ne doit son appellation qu'aux fleurs du même nom. Pascal n'y serait pour rien. C'est dommage.

Esprit léger, je n'ai pas lu l'auteur des *Lettres écrites à un provincial* depuis des années, mais le mot «pensée» me fait rêver. Si j'étais plus aventureux, je me rendrais illico visiter cette rue si bien nommée. J'y marcherais, la nuit tombée, pour vérifier si un certain climat n'y viendrait pas déposer l'ombre de quelque idée dans un cerveau qui n'en a jamais été encombré jusqu'ici.

Mais je n'ose pas bouger. Quelle déception si, me trouvant sur les lieux, ma vacuité intérieure ne cessait pas. Il aurait bien valu la peine de me rendre au diable vauvert pour être une fois de plus rabaissé. Je le crains, ma destinée est humble. J'admets également que le flot d'air pur qui navigue entre mes deux oreilles m'apporte une qualité de paix à laquelle je suis attaché.

Que j'aimerais pourtant pouvoir signer mes lettres en ajoutant de façon distraite que j'habite rue des Pensées. Il me semble que j'en serais tout ragaillardi. Je me donnerais l'air important d'un ministre ou d'un grand écrivain. À bien y penser, toutefois, je ne pourrais accepter une telle distinction. Je sais trop que je n'en suis pas digne. Ma modestie naturelle m'incline plutôt à habiter dans une rue portant le nom d'un inconnu ou d'une sainte obscure. À peu près comme si je voulais ainsi insister sur ma médiocrité. Je me contenterai donc de rêver à cette rue au nom si poétique. Ne songeant qu'aux fleurs du nom. Ce sont de fort agréables créatures, bien odorantes, d'aspect accueillant. Elles n'ont de justification que la beauté. On doit avoir l'impression quand on vit dans une rue ainsi appelée d'être fleur soi-même.

Voilà que me prend l'envie de tout laisser tomber, pour devenir pensée. C'est cela, être une fleur. Pourquoi n'y ai-je pas songé plus tôt? Avoir une pensée, c'est compliqué, ça vous fait vieillir prématurément, mais être une pensée!

Ce désir, comme les autres, ne durera pas. Il m'aura suffi d'un miroir pour me rendre compte que personne ne me mettra jamais en pot. Ces pensées-là non plus ne sont pas pour moi.

Il ne me reste plus qu'un recours. Ressortir les œuvres complètes de Blaise Pascal et retrouver quelques vieux fantômes d'une éducation chrétienne qui a laissé bien peu de traces. Et oublier la toponymie. Elle ne me vaut rien. Quant à l'annuaire téléphonique, je n'ose plus l'ouvrir.

Aller au ciel

L'autre jour, j'ai fait une rencontre inusitée. Je sortais de chez le disquaire. Un peu sous le choc de la musique débile qu'on venait de m'assener, je ne vis pas qu'une femme se dirigeait résolument vers moi. Sans autre préambule, elle me demanda: «Crois-tu en Dieu?»

La question, vous l'avouerez, était plutôt indiscrète. Aussi bien me demander si j'avais pris un bain le matin même ou si je portais des verres de contact. Le plus bête, c'est que je me crus obligé de lui répondre. Décision stupide, puisque je ne sus que prétendre que je n'avais pas songé au problème dernièrement.

La malheureuse s'approcha. En réalité, nous étions malheureux tous les deux. Elle de vouloir me convaincre à tout prix et moi d'être dans l'obligation de l'écouter. Son haleine était mauvaise, son teint cadavérique. «Sais-tu que Jésus t'aime?»

Les choses se gâtaient. Elle persistait à me tutoyer. Comment répliquer à une pauvresse éprise de Dieu que, n'ayant pas gardé les poussins ensemble, il n'était pas question de nous tutoyer? D'autant plus qu'une personne en communication directe avec la divinité doit vous regarder de bien haut.

«Il t'aime et Il est prêt à te donner la paix.» L'idée était bonne. Qui ne voudrait d'une certaine sérénité dans ce monde stupide et agité qui nous entoure? En principe, j'étais pour. Mais pas dans la rue, ce jour-là, en présence d'une inconnue dont l'odeur m'incommodait fort. Je répliquai donc que j'étais ravi que Jésus m'aime, bien que je m'occupasse si peu de Lui.

Elle ne se compta pas pour battue, sortant plutôt de son sac une liasse de dépliants. Après m'avoir assuré qu'ils étaient gratuits, qu'elle ne me réclamait en rien l'aumône, elle me regarda droit dans les yeux: «Tu veux aller au ciel, n'est-ce pas?»

Allez donc répondre par la négative. Ce qu'on en disait à l'école primaire valait bien mieux, en tout cas, que la terre du cimetière de la Côte-des-Neiges à laquelle je songe parfois les jours de pluie, en automne. Oui, lui dis-je, j'aimerais bien.

«Mais alors, il faut prendre les moyens!» Elle avait cessé d'être gentille, les yeux exorbités et méchants, le teint soudainement empourpré. Il était mort pour moi, après une lente agonie, au milieu des humiliations. Et moi, qu'est-ce que je faisais pour Le remercier? Je perdais mon temps chez un disquaire à la poursuite de musiques impies qui ne chantaient certes pas sa gloire. Il était temps de tout changer. La lecture de ses dépliants m'y aiderait.

Puis, brusquement, elle s'esquiva, me laissant sur le trottoir, mes petites brochures à la main. Pourvu qu'on ne m'ait pas vu! C'est toujours à ces moments-là qu'un ami survient par hasard. «Jésus te couvre de Son amour», proclamait la manchette du dépliant que j'enfouis dans la poche de ma veste.

Je n'ai pas tardé à détruire les textes de propagande pour l'au-delà, mais je me suis mis à penser qu'il ne serait pas déplaisant après tout d'aller au ciel. Ceux à qui j'en ai touché mot sont plutôt sceptiques. Nous vivons à une fichue époque. Que Jésus vienne me chercher! Mais pas tout de suite.

À la santé du retraité

L'entreprise, comme on dit, était louable. Dans le restaurant où je me trouvais, on avait réservé une salle à un groupe de fonctionnaires qui célébraient un peu bruyamment la cessation d'emploi de l'un des leurs.

Le héros de la petite fête semblait plutôt sympathique. Les cheveux presque blancs, le dos voûté, un sourire aux lèvres. Il accueillit avec grâce le discours stupide que prononça celui qui paraissait être l'organisateur de la cérémonie. Un retraité recommandable, en somme. Je n'aurais pas aimé qu'on me dise qu'il avait été au travail une sombre brute ou un enquiquineur de première classe. Il faut croire que j'ai encore besoin de héros.

Je n'ai mangé que du bout des lèvres, la nourriture m'intéressant moins ce soir-là que le reste. Les femmes étaient, par exemple, à une extrémité, les hommes à l'autre. Était-ce une consigne? Avait-on voulu éviter que les quadragénaires avinés ne lutinent des secrétaires sans expérience? Ou au contraire, avait-on estimé que les femmes, quand elles s'y mettent, sont de redoutables chasseresses? Toujours est-il qu'à droite on buvait ferme et qu'à gauche on parlait avec gourmandise. C'est la mort dans l'âme que j'ai quitté le restaurant. Je me demande même si j'y retournerai. La cuisine y est tout à fait convenable, le service chaleureux, mais comment pourrais-je m'y retrouver sans revoir la tête de mon retraité?

Cet homme semblait mort. On avait beau évoquer les jours de liberté qu'il aurait désormais, personne n'y croyait. La grande rousse qui l'avait embrassé sur les deux joues, le patron qui le regardait avec condescendance, la petite blonde aux seins si fermes, le jeune commis boutonneux, tous lui avaient souhaité de longues années de paix.

Il pourrait désormais s'occuper de sa collection de timbres, faire des voyages, aller à la pêche autant qu'il le voudrait. Certains ajoutaient avec malice qu'il aurait tout loisir de se pavaner sur les plages d'Europe, en contemplant de jolies baigneuses aux seins nus. Il se contentait de sourire. La présence de sa femme l'empêchait peut-être de glisser un commentaire un peu salace qui aurait prouvé hors de tout doute qu'il n'était pas bégueule. Mais elle était bien là, l'épouse, énorme, l'air mauvais. On n'imaginait pas qu'elle aurait dû exister.

Pauvre vieux, j'aurais souhaité pour toi que tu disparaisses à jamais de cette terre. Cette mascarade t'embêtait. Je le voyais à tes yeux tristes. Quand ta femme t'a rappelé les conseils du médecin pour t'empêcher de porter à tes lèvres un troisième verre de vin, j'ai eu pitié de toi. Plus brave, je me serais approché pour te dire de ne pas écouter pour une fois ce mastodonte. De toute manière, elle t'aurait bientôt tout à elle. Elle pourrait te broyer à son aise. À côté de cet esclavage, le travail te paraîtrait une bénédiction. Oui, j'aurais souhaité que tu meures sur-le-champ, puisqu'il n'était pas question qu'un tapis magique t'amène dans une autre époque et ailleurs, bien ailleurs.

Il est probable qu'on n'organisera pas de petite fête pour marquer le jour de ma mise à la retraite. Je n'ai jamais caché mon aversion pour les commémorations. Et j'ai bien trop mauvais caractère pour qu'on s'attache à moi. Qu'on se le tienne pour dit, je n'assisterai pas à cet enterrement-là. Quant à l'autre, le vrai, je serai bien forcé d'y être. L'esprit un peu absent, tout de même.

Ah! si j'étais excellent!

Comme si la vie ne se chargeait pas assez de nous montrer notre insignifiance, voilà qu'un journal crée un prix dit de l'excellence. Vous les avez vus, l'autre dimanche à la télévision, ces élus de la fortune? Ils étaient beaux à regarder, l'allure fière, le sourire aux lèvres. Même si l'admiration était chez moi le sentiment dominant, il me faut bien avouer que j'étais un peu envieux.

Qu'avais-je fait de ma vie? Bien installé dans ma cinquantaine et même pas fichu d'avoir ma photo affichée à côté des grands hommes de la nation. Il y a de ces constatations qui font mal. J'avais déjà assez de subir l'humiliation de pouvoir me promener incognito dans la ville.

Mais que faut-il donc faire pour mériter un prix d'excellence? Tout simplement exceller, me direz-vous. Mais comment? La recette me fait défaut. J'ai écrit quinze livres, dont certains me font pleurer d'admiration quand je les relis, et on n'a même pas prononcé mon nom en public, ce soir-là.

Aurait-il fallu que je me présente en politique pour

avoir droit à cet honneur? Je ne sais plus. Ma machine à écrire et moi formons un couple honteux. Je sens même qu'elle me laissera tomber bientôt, vaincue par le déshonneur.

Henri a bien essayé de me consoler. Il a insisté sur le ton intimiste de mes écrits. Voyant que je n'étais pas convaincu, il a surenchéri. À l'entendre, j'étais trop bien pour ces gens-là. Il ne me voyait tout simplement pas dans ce cirque. Est-ce que j'aurais accepté de recevoir une plaque des mains d'une comédienne sur le retour? Moins timide, j'aurais répondu par l'affirmative. J'en ai soupé des hommages murmurés. Qu'on crie sa joie de me voir de ce monde, dans des amphithéâtres de préférence! Et si la télévision est présente, tant mieux!

J'aurais dû m'y attendre, Henri ne m'a pas compris. Il n'a pas vu que j'en ai assez de vivre à l'ombre. Quand je lui ai dit que j'envie les chanteurs qui sont portés par les applaudissements et les cris de leurs idoles, il m'a toisé sévèrement. Un peu plus et il me reniait. N'étais-je donc qu'un frustré?

C'est bien ce que je suis, hélas! Un m'as-tu-vu qu'on n'a jamais vu nulle part. Je me suis caché par coquetterie et personne n'est parti à ma recherche. Je ne m'en offusque même plus. Sachant trop bien que ma tactique n'est pas la bonne, mais que je ne peux en changer maintenant, je ronge mon frein.

Je suis devenu une bête hargneuse. Je ne trouve plus de qualités à mes contemporains, leur vulgarité me hérisse, rien n'est assez beau pour moi, etc. Même ma misanthropie m'est un poids, car je sais trop bien que je ne voudrais qu'être aimé. Qu'on me réserve une minuscule place et je me joindrai à l'immense troupeau de ces esprits positifs qui croient que le succès toujours récompense le travail, que la persévérance porte ses fruits, que l'excellence est excellente.

N'importe quoi pour sortir de l'anonymat qui me

pèse, n'importe quoi pour que la glace ne me renvoie plus l'image d'un vaincu. J'ai soif de gloire, d'une gloire futile mais grisante, risible mais rassurante. Le temps me presse, j'étouffe, j'ai soif d'une reconnaissance qui a déjà trop tardé.

Bibliothèques

L'un des plus tenaces souvenirs que je conserve de l'enfance est celui du premier jour où je pénétrai dans une bibliothèque. Le lieu était austère et j'aurais été déçu qu'il ne le fût pas. Je me souviens de deux vieilles dames — elles avaient peut-être trente ans — dont l'une portait monocle et me lança au premier abord un regard que j'aurais souhaité plus bienveillant.

J'ai dû bafouiller. J'ai été précoce en ce domaine. D'une voix éteinte, je lui ai demandé comment on pouvait emprunter des livres. Se sentant rassurée, du moins je l'imagine, elle m'a demandé de remplir un formulaire. Mes parents avaient dû signer à ma place, je ne m'en souviens plus.

Ce que je me rappelle, en revanche, c'est qu'on ne pouvait emporter plus de trois volumes à la fois. Le règlement me parut raisonnable, de même que l'obligation qu'on nous faisait de les remettre à temps. Le défaut de souscrire à cet engagement entraînait une amende d'un cent par jour, par livre. Ayant toujours eu le sens de la morale, je fus tout de suite d'accord. La dame à monocle m'aima tellement qu'elle s'intéressa à mes lectures. Elle devait me prendre pour le fils qu'elle n'aurait jamais. Je me mis à fréquenter la bibliothèque les jours où je la savais absente. Il faut parfois se protéger contre les assauts de la passion.

Je le dis tout net, je ne fréquente presque jamais les bibliothèques. Les livres qui m'intéressent, je les possède depuis longtemps. Les nouveautés me sont fournies par les maisons d'édition qui voient en moi un efficace promoteur de la culture. C'est indécent, je le confesse. Mais comment refuser ces cadeaux?

À ce qu'il semble, certaines bibliothèques font des soldes pour faire place à la production plus récente. J'aime moins, mais il est évident que le commerce de l'édition est trop agité. Si on se défait de mes livres qu'au moins on enlève la fiche qui démontrerait que personne ne les a réclamés. Simple question d'orgueil.

Mais ne voilà-t-il pas que j'apprends que l'on veut imposer une tarification pour l'utilisation des livres. La démarche d'entrer dans une bibliothèque ne serait plus un geste gratuit. Drôle de société égalitaire tout de même! Est-il bien sûr que j'aurais pu connaître ma vieille dame à monocle si j'avais dû débourser quelques sous pour fureter dans les rayons? Notre histoire d'amour aurait été tuée dans l'œuf. Je ne crois qu'à l'amour total et désintéressé.

Élections

Je ne serai pas candidat aux prochaines élections. La décision n'a pas été facile à prendre, allez. Je suis homme de devoir et l'idée de me sacrifier pour mes concitoyens avait de quoi me retenir.

Si j'en ai décidé ainsi, c'est que le fardeau de la représentation qu'une charge de député suppose m'effraie. J'aime mon anonymat. Les seules personnes qui m'accostent dans la rue sont des mendiants. Les autres se contentent de déambuler rapidement comme s'ils allaient à des rendez-vous précis. Mais qu'arriverait-il si je devenais ministre? Je ferais de fréquentes apparitions à la télévision, j'émettrais des tronçons de phrases en français ou en anglais, je me prononcerais sur des tas de questions auxquelles je n'entendrais rien. Un jeune contestataire ou un jeune ambitieux viendrait me présenter le miroir de l'homme dans la vingtaine que j'ai été pour me rappeler mes contradictions.

Et puis, nous le savons tous, le monde est devenu ingouvernable. Pourquoi vendre son âme pour se rendre à Ottawa pendant la majeure partie de l'année, assister à des joutes oratoires qui ont l'air de séances de patronage animées par des étudiants turbulents?

Je ne veux pas faire la fine bouche, j'admets que de côtoyer les dirigeants du pays doit donner de l'assurance. Ma timidité disparaîtrait. Je serais reçu dans les grands dîners. Je ne serais pas simple député bien longtemps. Je grimperais rapidement les échelons qui mènent à l'Olympe. J'ai tout ce qu'il faut pour réussir: mon casier judiciaire est vierge, je ne fume pas, je suis pour l'avancement des femmes et j'ai déjà été photographié serrant les doigts de Madame le Gouverneur général.

Lorsque la délégation d'un parti que je ne peux pas nommer est repartie bredouille de chez moi, je n'ai pas manqué de me sentir un peu triste. Je venais peut-être de rater la seule occasion qui m'était donnée de devenir un personnage historique. Qui sait si, la chance aidant, je n'aurais pu me voir octroyer un monument, un pont, un boulevard ou encore figurer en bonne place dans les Histoires du Canada de l'avenir?

J'affirmais tout à l'heure que l'anonymat me seyait bien. Il n'empêche que je supporte mal de ne pas voir mon nom dans la nouvelle édition du *Larousse.* Mon action politique m'aurait peut-être valu un honneur que la littérature ne m'a pas procuré. Ma campagne électorale, je la passerai chez moi. J'aurai quand même moins de mains à tendre. Ça console.

Ascenseurs

On peut maintenant écouter la radio dans les ascenseurs de Radio-Canada. La nouvelle peut paraître banale, mais si vous saviez le choc que l'on ressent lorsque, la porte s'étant ouverte, on est accueilli par le cri de guerre des Walkyries. On a subitement l'impression que les autorités ont décidé qu'assez c'est assez et qu'elles vont nous mettre au pas. J'ai toujours eu peur du châtiment, il faut me prendre par la douceur.

L'autre jour, j'ai justement été comblé de la sorte. Je suis monté dans l'ascenseur, ne songeant à rien de particulier qu'à mes fins dernières. Coup d'œil sur les personnes déjà présentes. Soupir de soulagement, je ne les connaissais pas. Je pouvais donc tout à mon aise regarder le sol. Soudain, j'entendis ma propre voix sortir d'en haut. J'étais tout intimidé. Il m'aurait suffi de peser sur la commande de l'étage suivant pour me libérer, mais je n'y ai pas songé. Ma voix au milieu de tous ces gens m'effrayait. Je me sentais nu comme un ver. Une dame dit tout à coup: «Archambault nous élève.» Pourquoi le cacher, j'en ai été tout heureux. Mes propos faisaient du bien aux gens. C'est ce que je souhaitais à l'époque où je voulais devenir père missionnaire.

Je devais descendre au douzième étage. Je ne suis descendu qu'au vingt-troisième, au cas où la femme ajouterait quelque chose de gentil. Je suis parfois prêt à toutes les bassesses pour recueillir des hommages. Ne voilà-t-il pas qu'elle ajoute à l'intention de sa compagne: «Archambault ne maintiendra pas son rythme bien longtemps. On sent qu'il redescendra bientôt.» Que j'ai eu honte!

Pendant des jours, j'ai monté et descendu à pied l'escalier qui sépare mon bureau des studios. Seize étages, ce n'est pas rien. Et puis, mon petit cœur s'étant mis à battre trop fort, il a bien fallu que je me résigne à prendre l'ascenseur de nouveau. Pendant les moments où je risquerais d'entendre ma voix, je ne bouge pas de mon bureau.

La radio qui monte et redescend procède d'une conception révolutionnaire de la communication de masse. Je proposerai à la Direction de faire entendre mes petits billets dans les ascenseurs aux seuls voyageurs munis d'un casque. Pour la discrétion. Et en montant seulement. Les descentes ne me sont pas favorables.

Parler français

Sortir de chez soi peut être une libération. Si par exemple on a eu des mots avec sa légitime, l'autre ou le chat. Il est souvent préférable de ne pas insister et d'aller voir dehors s'il pleut. Pour le bien-être de tous, le chat y compris, l'absence en ce cas est un remède souhaitable.

Il peut arriver en revanche que la décision de quitter son domicile ne soit pas heureuse. Ainsi, l'autre jour, le nez au vent, ne me doutant de rien, je me suis dirigé vers la rue Sainte-Catherine. Le temps était doux, pour un peu le soleil se serait montré.

Presque à l'angle de la rue Guy, en face du centre commercial baptisé le Faubourg, s'était garé un camion délabré, qui aurait pu servir au transport de détritus. On l'avait ceinturé de pancartes en carton proclamant l'injustice de la loi 101. La plupart de ces affiches étaient rédigées en anglais comme il se doit. D'autres en français plus qu'approximatif ou tout bonnement en sabir incompréhensible. Les unes et les autres avaient été tracées par des mains maladroites. Le thème fort à la mode de l'humiliation des anglophones de Montréal n'avait pas trouvé de bien riches commanditaires ce jour-là.

Tout était médiocre dans ce spectacle, autant que le véhicule déglingué qui avait amené les opprimés. Qu'une question qui était au centre de nos vies de tous les jours soit traitée de cette façon par des gens qui n'en pouvaient saisir les enjeux et dans un cadre aussi dégradant, voilà qui avait de quoi déprimer plus optimiste que moi. Les offensés avaient l'air particulièrement arrogants, sûrs de leur fait, se comportant comme s'ils étaient dans quelque Rhodésie.

Et les passants, nombreux à cette heure, indifférents. Certains s'arrêtaient, écoutaient le boniment qu'on leur récitait, quelques-uns signaient la pétition. Pas une fois pendant les vingt minutes où j'ai observé cette foire, je n'ai vu un francophone répliquer quoi que ce soit à ce qui aurait dû être ressenti par lui comme une provocation.

Certains baragouinaient en anglais qu'ils étaient «sorry». Gênés, embarrassés même, comme si on leur avait parlé du sort des sauterelles au Sahel. On pouvait s'imaginer qu'ils s'excusaient, qu'ils auraient bien aimé pouvoir dire qu'ils avaient déjà donné au bureau.

Le goût m'est soudainement venu d'être moi aussi arrogant. La plupart du temps, j'opte pour l'indifférence en pareil cas. Mais je me sentais offensé. Ce n'était pas un camouflet, mais presque. Ce n'était pas de moi seul qu'on se moquait de la sorte. Je me suis approché, le cœur battant. À l'hurluberlu qui me demandait *if I wanted to sign against bill 101*, j'ai répliqué qu'il n'en était pas question et que j'étais plutôt d'avis qu'on devrait en surveiller l'application avec plus de rigueur. Il aurait souhaité m'agonir d'injures, il s'est contenté de deux remarques rageuses. Un compère, fort en muscles, s'est approché.

Je suis finalement entré dans ce Faubourg où la

pratique du français est un sport pour le moins aléatoire. J'ai acheté *Le Monde* et une bouteille de vin. J'avais besoin de me sentir un tout petit peu français.

Échange presque libre

Je revenais d'une randonnée au Vermont. Bien modeste, quelques heures à peine. La journée avait été douce. On ne demande pas plus à la vie, à moins d'être déraisonnable. Un panonceau m'apprit que bientôt je devrais franchir les douanes canadiennes.

Je les avais tout bonnement oubliées, celles-là. Il faut dire que je me sens tout drôle quand je dois faire face à un douanier. Je n'ai pourtant jamais rien de bien important à cacher, trop trouillard pour passer en fraude quelque marchandise que ce soit. J'ajouterais même, si je ne craignais pas d'exagérer ma vertu, que je trouve normal qu'on nous astreigne à suivre des règles.

Quand nous arrivâmes, mon auto et moi, en vue du poste-frontière, il y avait déjà une longue file de voitures en attente. Les interrogatoires étaient interminables. On sentait que quelque chose d'important se passait. Peut-être était-on sur une piste fumante? Je faisais confiance. Américains et Canadiens étaient soumis à des fouilles presque systématiques. Voilà, dis-je, des inspecteurs qui inspectent. Je me sentais protégé. On veillait sur mon bien-être.

Ce fut mon tour. «What's your name?» me demanda-t-on d'autorité. Réponse fut faite avec civilité. Je m'étonnai même de ne pas bafouiller. Quand on veut que je sois coupable de quelque méfait, je me sens presque tenu de donner raison à l'accusateur. L'habitude est détestable, j'en conviens.

Qu'étais-je venu faire aux États-Unis? Je répondis que j'étais allé m'y promener pendant quelques heures tout simplement. L'agent ne me crut pas. Remarquez qu'il est payé pour ne pas croire les gens. Jusque-là rien de bien surprenant. Mais la suite...

Il me demanda combien je gagnais par année. La question était saugrenue, mais j'y répondis. J'ai peur de ces gens, vous dis-je. Un rapide calcul me permit d'apprendre à l'inquisiteur qu'avec mes droits d'auteur, mon salaire à la radio, mes actions en Bourse et la vente d'une partie de ma bibliothèque, j'avais eu en 1986 un revenu d'à près 600 000 dollars.

Il me jeta un regard méchant. Quoi? J'avais ces revenus et pas d'auto? Il n'en croyait pas ses oreilles. Pourquoi alors avais-je loué une voiture? J'eus beau lui représenter que je devais bien en louer une puisque je n'en possédais pas, il devint de plus en plus méfiant. Avec un tel revenu, il fallait que je sois propriétaire d'un véhicule, un point c'est tout.

Timidement, j'expliquai qu'habitant le centre-ville je n'avais pas l'usage de ces monstres à quatre roues. Il me toisa avec mépris. J'allais tenter de lui expliquer que la marche, quoi qu'on en dise, vaut mieux que l'auto pour la santé, quand il m'enjoignit de ranger ma Pontiac de location un peu plus loin. On viendrait examiner à fond mon bolide. Il était clair que je lui avais déplu.

Son collègue fut plus affable. Mais il scruta tout, le capot, le pneu de rechange, dévissa le bouchon d'essence,

donna des coups sur la carrosserie. Comme j'ai peur d'un rien, je me mis à craindre qu'un malfaiteur n'ait dissimulé une pièce compromettante durant l'un des rares moments où j'avais laissé l'auto sans surveillance. Sait-on jamais? On peut devenir trafiquant de drogue malgré soi.

On finit par me permettre de partir. La prochaine fois que j'irai aux États-Unis, j'achèterai une auto, quitte à la revendre au retour. C'est sûrement moins compliqué.

Meilleur avant...

Pour aider les consommateurs effrénés que nous sommes, il a fallu inventer des mises en garde précises. Par exemple, sur les pots de yaourt ou sur les litres de lait, on trouve des indications du genre: *meilleur avant le 14 novembre 1987*. Fidèle à la coutume qui veut qu'on traduise de l'anglais plutôt que d'utiliser une formulation originale, on a calqué le *best before* des angliches.

Ne vous semble-t-il pas que nous vivons de plus en plus dans une civilisation du *meilleur avant...?* Je l'avance sans hargne, car j'aime bien que le lait que je verse amoureusement sur mes céréales ne soit pas caillé. Il n'empêche que tout aujourd'hui est conçu pour une utilisation immédiate. Sachant qu'on s'adresse à des gens pressés, blasés ou ignorants, on cherche à jouer de cette façon la carte de l'honnêteté. L'artisan qui construisait un meuble au siècle dernier avait bien quelque préoccupation des goûts du jour, mais il était persuadé que vingt, trente ou quarante ans plus tard, il serait encore de mise de déposer ses fesses sur la chaise qu'il avait construite.

Avec le *design*, rien n'est moins sûr. On n'a même

donna des coups sur la carrosserie. Comme j'ai peur d'un rien, je me mis à craindre qu'un malfaiteur n'ait dissimulé une pièce compromettante durant l'un des rares moments où j'avais laissé l'auto sans surveillance. Sait-on jamais? On peut devenir trafiquant de drogue malgré soi.

On finit par me permettre de partir. La prochaine fois que j'irai aux États-Unis, j'achèterai une auto, quitte à la revendre au retour. C'est sûrement moins compliqué.

Meilleur avant...

Pour aider les consommateurs effrénés que nous sommes, il a fallu inventer des mises en garde précises. Par exemple, sur les pots de yaourt ou sur les litres de lait, on trouve des indications du genre: *meilleur avant le 14 novembre 1987*. Fidèle à la coutume qui veut qu'on traduise de l'anglais plutôt que d'utiliser une formulation originale, on a calqué le *best before* des angliches.

Ne vous semble-t-il pas que nous vivons de plus en plus dans une civilisation du *meilleur avant*...? Je l'avance sans hargne, car j'aime bien que le lait que je verse amoureusement sur mes céréales ne soit pas caillé. Il n'empêche que tout aujourd'hui est conçu pour une utilisation immédiate. Sachant qu'on s'adresse à des gens pressés, blasés ou ignorants, on cherche à jouer de cette façon la carte de l'honnêteté. L'artisan qui construisait un meuble au siècle dernier avait bien quelque préoccupation des goûts du jour, mais il était persuadé que vingt, trente ou quarante ans plus tard, il serait encore de mise de déposer ses fesses sur la chaise qu'il avait construite.

Avec le *design*, rien n'est moins sûr. On n'a même

donna des coups sur la carrosserie. Comme j'ai peur d'un rien, je me mis à craindre qu'un malfaiteur n'ait dissimulé une pièce compromettante durant l'un des rares moments où j'avais laissé l'auto sans surveillance. Sait-on jamais? On peut devenir trafiquant de drogue malgré soi.

On finit par me permettre de partir. La prochaine fois que j'irai aux États-Unis, j'achèterai une auto, quitte à la revendre au retour. C'est sûrement moins compliqué.

Meilleur avant...

Pour aider les consommateurs effrénés que nous sommes, il a fallu inventer des mises en garde précises. Par exemple, sur les pots de yaourt ou sur les litres de lait, on trouve des indications du genre: *meilleur avant le 14 novembre 1987*. Fidèle à la coutume qui veut qu'on traduise de l'anglais plutôt que d'utiliser une formulation originale, on a calqué le *best before* des angliches.

Ne vous semble-t-il pas que nous vivons de plus en plus dans une civilisation du *meilleur avant...*? Je l'avance sans hargne, car j'aime bien que le lait que je verse amoureusement sur mes céréales ne soit pas caillé. Il n'empêche que tout aujourd'hui est conçu pour une utilisation immédiate. Sachant qu'on s'adresse à des gens pressés, blasés ou ignorants, on cherche à jouer de cette façon la carte de l'honnêteté. L'artisan qui construisait un meuble au siècle dernier avait bien quelque préoccupation des goûts du jour, mais il était persuadé que vingt, trente ou quarante ans plus tard, il serait encore de mise de déposer ses fesses sur la chaise qu'il avait construite.

Avec le *design*, rien n'est moins sûr. On n'a même

pas la certitude que les pieds de la table ne seront pas un jour des porte-assiettes. En ce domaine, le *meilleur avant* est implicite. Le revendeur ne le dit pas, mais il vous tiendra pour un minable si vous croyez qu'il est normal de vous inquiéter de la durée des meubles que vous achetez. Les cuirs sont à la mode, blancs ou marron, rien n'est sûr, mais dans cinq ans? Recevoir des gens dans un décor fané, y songeriez-vous?

Longtemps, j'ai cru que la littérature échappait à cette obsédante obsession. J'avais vingt ans, ou trente, et j'achetais des livres que je lirais plus tard. Combien d'entre eux ai-je lus? Bien peu, tout compte fait. Savez-vous pourquoi? Ils étaient *meilleurs avant*, eux aussi. Je ne le savais pas, je croyais que les œuvres de l'esprit ne prennent pas de rides. Quel naïf je faisais! Et je me croyais malin avec ça. Je disais par exemple que «Malraux est un écrivain de ce temps», ou j'entendais sans sourciller un professeur affirmer que le dernier prix du Cercle du livre de France était remarquable. Mon exemplaire de *La condition humaine* est défraîchi. Je ne l'ai pas rouvert depuis trente-cinq ans et il y a belle lurette que le prix du Cercle n'est plus dans les rayons de ma bibliothèque.

Les libraires, qui sont parfois d'admirables personnes, vous diront qu'ils sont submergés de nouveautés. Ils ne savent plus s'ils doivent s'occuper des retours ou des arrivées de livres. Pour les aider, je propose donc aux éditeurs d'apposer sur la quatrième de couverture la mention que vous devinez. Ce *meilleur avant* faciliterait le travail de ces serviteurs de la culture et dépannerait le badaud qui n'a vraiment pas le temps de vérifier si le roman de l'impérissable auteur ou les nouvelles de l'écrivain confidentiel sont des œuvres valables.

Imaginez l'avantage inestimable qu'en tireraient ceux qui offrent des livres à Noël. L'acheteur aurait l'assurance qu'il n'offre pas un ouvrage périmé, voire impropre à la consommation.

Théâtre de boulevard

Je veux bien qu'on honore la figure d'un homme politique, mais de là à ne plus appeler Dorchester ce qui est Dorchester, il y a un pas. Que je ne franchirai pas, même à pied.

Non, mais le boulevard René-Lévesque, vous vous rendez compte? Comme l'écrivait un sympathique commentateur politique d'un journal local, Lord Dorchester avait été «bien sympathique aux Canadiens français». Allons-nous laisser tomber des gens qui auraient pu déporter nos ancêtres, brûler leurs maisons et qui se sont contentés de les empêcher d'avoir un pays? Ces choses ne se font pas. Il faut bien se dire que rien n'importe davantage que de sauver le visage anglais de Montréal. Plutôt que de célébrer un homme sans mémoire, pensons au présent. À Montréal, c'est en anglais que les choses se déroulent. Je souhaite de toute manière que l'on soit très vigilant sur la toponymie. À force de décerner à droite et à gauche des noms de rues, quelles artères seront disponibles quand sera venu le temps de remercier à titre posthume Pierre Trudeau, par exemple? De quoi aurons-nous l'air à la prochaine visite royale? Les princes, c'est bien connu, ont autre chose à faire que chercher à prononcer des noms imprononçables.

Ce qui est pire, c'est que nous serons la risée du Canada tout entier. Déjà nous sommes un peu gênés de cet affichage où se glissent parfois des mots rédigés en français. Que peuvent comprendre les pauvres enfants de Victoria qui viennent à Montréal apprendre l'anglais aux immigrés? Comment peuvent-ils prêcher la bonne nouvelle alors que des exemples de dissidence existent à ciel ouvert?

Si les partisans du français pur et dur veulent à tout prix que René Lévesque soit dans les mémoires, qu'ils insistent auprès du président de la République pour que l'avenue des Champs-Élysées devienne l'avenue René-Lévesque. Vous assisterez alors à une levée de boucliers. La France aux Français, diront nos cousins devenus hargneux. Moi, je dis Montréal aux *Canadians*, voilà tout.

Pour ménager une certaine paix sociale, je dois toutefois envisager certaines concessions. Il est trop tôt par exemple pour donner un nom *british* aux rues Saint-Denis ou Saint-Hubert. Je ne suis pas sûr du tout qu'un référendum sur le sujet auprès des francophones nous serait tout à fait favorable. Pas encore. Il subsiste des esprits attardés pour qui la ceinture fléchée ne vaut pas un *kilt* écossais. Dans cinq ans, dix peut-être, l'affaire sera *in the pocket*.

Au fond, je me demande pourquoi j'écris cette petite chronique en français. Si je n'étais pas un fieffé mélancolique, je troquerais mon *Robert* contre un *Webster*. Je le ferai peut-être, dans cinq ans ou dix.

Mourir un peu

L'autre soir, j'ai vu à la télévision une publicité qui changera ma vie. On y parlait d'arrangements que l'on peut prendre concernant sa propre mort. Des gens du troisième âge, qu'on ne peut plus appeler vieillards à moins d'être cruel, attendaient la visite de leurs enfants en s'occupant de leur jardinet.

Il y avait dans cette illustration un parfum bucolique. Ils avaient l'air épanoui, le pépé et la mémé. De bonnes natures assurément. La mort leur pendait au bout du nez, et que faisaient-ils? Ils ratissaient leur arrière-cour comme s'ils s'attendaient à revoir plusieurs fois le printemps. Si j'en crois le commentaire hors-champ, c'était d'avoir réglé les détails matériels de leur décès qui les rendait si guillerets.

J'avertis mes proches que, bien que rendu à un âge respectable, je n'ai rien prévu de tel. Je n'arrête pas de changer d'idée quant à la texture de bois de mon cercueil. J'hésite entre une ébène d'Afrique et du bois de cageot. Tout dépend si j'incline ce jour-là vers l'élitisme ou vers le populisme de gauche.

Ma surprenante nature me porte-t-elle vers l'ascèse que j'opte pour les coffrets bon marché, du genre dont on faisait les prie-Dieu dans les paroisses pauvres. À d'autres moments, je viderais mon compte en banque pour un mausolée dans le style que prisa si fort Aménophis IV. Un jour pourtant, il me faudra prendre une décision. Ce ne sont pas mes enfants si cruels et si âpres au gain qui me procureront une sépulture décente. La dernière fois que je leur en ai parlé, ils me voyaient déjà dans une urne. Ils savent pourtant que j'ai peur du feu et que seule la terre me convient.

Oui, je veux manger les pissenlits par la racine. Même s'ils sont contaminés par les pesticides. On les a mangés de père en fils dans ma famille et nous ne nous en portons pas plus mal.

Je ne cacherai rien au présentateur de la réclame télévisée. Il me semble si aimable. Je n'imagine pas des gaillards de sa trempe tenter de m'entraîner dans des dépenses exagérées. Déjà qu'ils ont le tact de ne jamais prononcer le mot «mort» dans leur message.

Ce serait déplacé, avouons-le. Présentée de cette façon, notre disparition a l'air d'une partie de campagne. Grand-père attend les enfants, puis hop! parti grand-père! Mais ne vous en faites pas, c'est comme s'il n'était pas parti, comme s'il n'était même pas venu. Nos grands-parents ne savent pas ce qu'ils ont raté. La mort sans la mort, il fallait y penser.

Mais pas de demi-mesures avec moi. Je veux vraiment que lorsque mes enfants viendront me voir un dimanche, parce que je leur aurai promis à chacun une auto avec chauffeur et bar intégré, ils trouvent à la maison un père assuré de son avenir souterrain. Petit détail, je ne m'occuperai pas ce jour-là des feuilles mortes qui encombreront mon jardin. Mais que leur dirai-je, donc à ces enfants que je ne peux plus molester depuis si longtemps? Que leur père est un homme remarquable? Ils me riraient au visage. Que je n'ai jamais eu que le souci de leur bonheur? Ils monteraient tout de suite dans leurs autos, que le chauffeur soit prêt ou non. Je pense bien que je garderai un sourire énigmatique.

Il sera bien assez tôt pour eux de découvrir que j'ai tout légué aux commanditaires dudit message. Qu'on me prépare une belle mort, puissante et ridicule, ce ne peut pas être pire que la vie, non? Surtout n'allez pas croire que je suis pessimiste, ça me chagrinerait.

L'hymne à Chloé

Dire que pendant des années ce prénom, Chloé, a suscité en moi de vagues réminiscences aussi grecques que bucoliques, un ballet de Ravel dont je ne connais que la suite pour orchestre et une composition de Duke Ellington que Boris Vian célébra dans un roman.

Les choses viennent de changer. Et de la plus belle façon. Ma fille a donné naissance à Chloé. Le monde vient d'accueillir un nouvel être, qu'il finira bien par nourrir comme tous les autres.

Puisque les clichés ne me font pas peur, j'avoue tout net que j'ai été bouleversé de faire cette rencontre-là. Elle n'a pas beaucoup de conversation, la petite Chloé. Elle dormait majestueusement quand je l'ai vue à travers la vitre de la pouponnière. Il m'a semblé pourtant qu'elle était déjà de ces personnes qui apportent la paix. Pour un peu, elle se serait jointe à nous qui la contemplions comme une merveille du monde qu'elle est.

Grand-père se sent bien un peu mélancolique. Il l'est toujours quand la vie cesse d'être bête et méchante.

C'est sa façon à lui d'être optimiste. Mais quand même! Je suis grand-père! Il me semble que je ne suis père que depuis hier et que cette enfant chérie qui se mêle de transmettre la vie vient à peine d'entrer en maternelle. Les dernières semaines, je ne cessais de penser à elle. On a beau se dire, répétant ce qu'on a déjà entendu mille fois, que l'accouchement, tout douloureux qu'il soit, est un geste naturel, on n'y croit pas tout à fait. Maintenant que je sais que la souffrance de ma fille a permis ce miracle, je ne me possède plus.

Je me mets à rêver à des choses impossibles. Que Chloé, par exemple, puisse vivre normalement. L'adverbe est banal et lourd comme tous les adverbes surtout quand on l'applique à un bébé de trois kilos, mais je voudrais tant, naïf que je suis, que Chloé puisse être une femme sans avoir à lutter pour des évidences. Je ne détesterais pas qu'en l'an 2014 elle obtienne un poste à cause de ses seuls talents. Il ne s'agirait plus alors d'une complaisante promotion de la femme.

Je sais bien que ce n'est pas demain la veille et que notre société préférera encore ignorer le langage de la raison. Et si le regard de Chloé avait un jour le pouvoir de tourner en dérision tous les chevaliers du paternalisme...

Mais oublions cet avenir plus qu'aléatoire. Chloé est arrivée. Il n'y en a que pour elle. Je l'imagine déjà en train de faire ses premiers pas hésitants. J'ai hâte que nous ayons trouvé notre terrain d'entente, tous deux. Déjà, je me dis qu'il faudra m'habituer à lui parler doucement afin de ne pas l'effaroucher. Si je parviens à l'apprivoiser dès les premiers mois, elle sera peut-être plus conciliante pour les bêtises que je ne manquerai pas de prononcer devant elle plus tard.

Au point où j'en suis, j'ai intérêt à ne jamais prétendre devant elle que les choses se déroulaient mieux de mon temps. Quand elle aura vingt ans, la resplendissante

Chloé, elle n'aura après tout pour se représenter son grand-père qu'un vieillard gâteux, et mélancolique de surcroît... À moins que seule une photo jaunie...

Serpentins

Que ferez-vous ce soir du 31 décembre? S'il vous plaît de vous réjouir, je ne peux qu'applaudir. Je dois bien dire toutefois que je serais bien aise qu'il n'en soit pas ainsi pour moi. En pareille occasion, je préfère une solitude partagée à toute autre condition. En fin d'année, j'aime bien dresser des bilans. Je n'ai pas en tête quelque vérification financière. Le sort m'a mis à l'abri des tracasseries de cet ordre. Non, cette nuit, je vais la passer en songeant le plus doucement possible au passé. J'aurai bien une pensée pour l'avenir, mais elle sera timide.

Il y a à peine quelques années, j'élaborais des stratégies. Je me promettais de relire Marcel Proust, d'approfondir ma connaissance de la littérature sud-américaine ou de mettre à jour mes connaissances en histoire. Je savais très bien que je n'en ferais rien, mais d'y penser n'était pas désagréable.

L'âge qui fond sur moi me métamorphose malgré tout. Le passage d'une année à une autre n'est plus depuis belle lurette l'occasion de promesses à tenir. Pourquoi s'imaginer qu'on deviendra à l'avenir plus studieux ou plus attentif aux autres? Notre nature est là qui veille et nous interdit les modifications d'importance. Que m'apportera le bilan que je dresserai ce soir? Bien peu de choses. C'est l'exercice lui-même que je chéris, plus que les résultats qu'il produit. Rien en tout cas qui équivale au vertige des années envolées. Le temps a fui et je suis toujours là. J'ai perdu des amis, j'en ai conservé d'autres. Mes enfants sont des adultes, bientôt je serai un vieillard. Telle m'apparaîtra l'effroyable et consolante évidence.

Jadis, la nuit du 31 décembre m'était occasion d'une réflexion sur l'écriture. Je déplorais ma flemme, je croyais possible de m'octroyer une force de caractère qui m'avait fait défaut jusque-là. Cette passion s'est envolée. J'ai toujours la naïveté de croire que l'invention romanesque m'est bénéfique malgré tout, mais je supporte très bien de ne rien faire.

Il est peu probable que je déplore vers minuit de ne pas être en bruyante et joyeuse compagnie. Il est tout à fait légitime que mes contemporains souhaitent s'amuser en pareille circonstance. Mais de quoi aurais-je l'air, un serpentin à la main, je vous le demande?

J'admets volontiers que de toutes les manifestations commandées par l'usage, celle qui consiste à souligner l'arrivée de la nouvelle année me paraît la plus justifiée. Pour une fois qu'on admet le triomphe du temps sur nous! Que la joie manifestée soit ou non factice, les pauvres humains ont bien le droit de participer à cette mascarade-là.

1988! J'aurais bien attendu un peu avant d'y arriver. Où sont donc passées toutes ces années? Et mes rêves, et mes désirs? Pourvu que cette nuit, poussé par quelque démon, je ne m'imagine pas que j'ai tout raté et que je ne suis plus bon qu'à m'abandonner au grenier de l'oubli.

Quand je suis dans ces états, je me contenterais volontiers d'une réception bien moche et complètement ridicule où l'on supporterait de m'entendre pérorer sur l'avenir du monde. Il n'y aurait point besoin de serpentin.

Imbéciles, je vous aime

Je n'arrive pas à comprendre qu'on médise des imbéciles. Ce sont eux qui égayent notre vie, qui nous permettent d'arriver à l'âge de la mort en souriant. L'autre jour, je m'étais levé du mauvais pied. C'était à croire que l'humanité valait d'être changée et que je pouvais de surcroît m'en charger.

Mais qui vis-je au tournant d'un corridor? Un imbécile. Un vrai, un authentique. Après m'être dissimulé derrière une colonne pour ne pas avoir à lui faire la conversation, je me suis rendu compte à quel point sa seule vue m'avait comblé.

Je me suis répété quelques-unes des perles qu'il a écrites récemment. Pour peu que j'y mette un peu d'attention, je pourrais en faire un collier de plusieurs rangs. Cet homme me réjouit. Il est imbécile avec la ferveur que d'autres déploient dans l'intelligence. Ne me dites surtout pas qu'il n'est pas rassurant qu'un être représente à lui seul, et sans possibilité de méprise, l'imbécillité triomphante.

Il m'est arrivé de m'entretenir avec des gens dont le crétinisme n'est que partiel. Ces personnes sèment le doute en vous. Au bout de quelques minutes, on ne sait plus départager le grain de l'ivraie, ainsi qu'on disait jadis.

Avec mon hurluberlu, tout est net. Il annonce ses couleurs sans ambages. Henri voudrait que je lui dise son fait. Cela ne me serait pas possible. Je ne voudrais pas pour tout l'or du monde lui causer du chagrin.

Ce n'est pas parce qu'il pérore sur tout avec l'assurance des imbéciles que j'ai le droit de le blesser. De toute manière, il n'aurait pas l'intelligence de comprendre sa propre sottise. Valéry ne disait-il pas qu'un imbécile convaincu de son insignifiance n'a d'autre issue que le suicide? Je ne voudrais pas avoir une mort sur la conscience.

Mais pendant ce temps, me réplique Henri, cet homme écrit des sottises sur tes livres, te donne des conseils quand il te voit. Il a raison, l'ami adoré, mais je ne modifierai pas mon attitude.

Si l'imbécile en question est heureux dans sa médiocrité, je me demande bien de quel droit je sèmerais le doute en lui. Je préfère lui laisser la liberté de butiner. Puisque je fais mon miel de sa bêtise, je serais bien sot de m'enlever ce plaisir-là.

Au reste, je me demande bien comment je pourrais le déloger du poste (modeste) qu'il occupe. Qui me dit que celui qui le protège n'est pas plus imbécile, et pourtant moins rassurant, que lui?

Henri m'a toutefois fait promettre de ne plus rugir quand je lirai un article parfaitement gratiné de mon idole. Je dois bien le confesser, je n'ai pas toujours la sérénité voulue devant l'imbécillité. Il m'arrive d'être méchant. Pas au point cependant de mettre un nom dans une chronique qui traite de ce travers bien humain qu'est l'imbécillité. À toi, lecteur, de personnaliser l'affaire. Si c'est mon nom qui te vient alors à l'esprit, il n'est pas nécessaire de m'en faire part. Je ne m'en remettrais pas.

N'est pas Archambault qui veut

D'un naturel effacé, je ne me vante jamais des nombreuses distinctions qui ont marqué mon passage sur la terre. Mon sous-sol est encombré de trophées, de médailles, de plaques. Je laisse ces vantardises aux importants de ce monde qui reçoivent des doctorats *honoris causa* chaque fois qu'ils ont un rhume.

Rien pourtant ne m'a flatté autant que d'apprendre que les Archambault d'Amérique, Inc., membres en règle de la Fédération des familles-souches québécoises, s'étaient formés en association. L'un des buts de cette association est de «transmettre à la postérité les informations biographiques et les documents de n'importe quel membre d'une famille Archambault qui mérite d'être connu».

Depuis que j'ai lu cette déclaration de principe, j'ai cessé de me considérer comme un étranger dans l'univers. Vous pensez peut-être qu'il n'est pas évident que je mérite d'être connu? Je le deviendrai de toute manière, car j'entends bien m'inscrire au prochain tournoi de golf de ces puissants Archambault, mes frères. Et que fais-tu des sœurs, me souffle la partie non sexiste de ma conscience. J'avais déjà noté que par plusieurs aspects mes goûts n'étaient pas tellement plébéiens. Je n'insistais pas, poussé par le désir de me mêler quoi que j'en aie à la grande aventure humaine. La lecture d'un récent bulletin de l'organisme précité m'a tout révélé.

Il est normal que je redoute plus que tout la vulgarité, puisque les Archambault comptent parmi leurs rangs Henri IV, roi de France et de Navarre. C'est écrit noir sur jaune. Alors, qu'on ne vienne pas me bassiner avec la prétendue classe de Pierre Trudeau, par exemple. Nous avons le sang bleu, nous. Il a été répandu dans de justes guerres.

Ah! la fierté de porter un nom pareil! Je me demande si des recherches approfondies ne nous apprendraient pas que Charlie Parker, Kafka, Cézanne, Woody Allen et Milou sont en réalité des Archambault. Nos aïeules qui avaient du tempérament et une beauté à nulle autre pareille ont peut-être ainsi déguisé les fruits de passions trop fortes. Qui sait?

Pour l'heure, ma félicité n'a pas de bornes. Je passe mes moments de loisir à feuilleter les annuaires de téléphone en songeant à ces membres de ma grande famille dont les cœurs battent au rythme du mien. Que ceux qui ne peuvent revendiquer le même patronyme me paraissent de peu d'intérêt! Je fantasme, je rêve, j'exulte.

Peut-être irai-je en famille renouer avec mes sources françaises, en mai prochain. Il suffira pour cela que je réunisse les 1999 dollars nécessaires. Ah! rencontrer un Archambault qui prononce ses «a» et ses «r» de façon normale, quelle joie ce sera pour moi! Pour arriver à mes fins, je suis prêt à tout. Si je suis un peu triste, c'est que je me dis que mon dénuement actuel vient de ce que les Archambault ne m'ont pas soutenu. Si ces gens qui se sont réunis pour «conserver et mettre en valeur» leurs biens patrimoniaux avaient acheté mes livres, j'aurais déjà mon billet d'avion en main. Combien d'entre eux ne m'ont pas préféré un écrivain qui ne pouvait d'aucune façon revendiquer l'honneur d'être un Archambault? On lit Beauchemin, on se rend aux pièces de Tremblay.

Pendant ce temps, un Archambault croupit dans la plus noire des misères. Si Henri IV savait ça!

Sic transit

Un ami aujourd'hui disparu me raconta, un jour, avoir vu des exemplaires de nos livres communs offerts en prime dans une station-service. Belle occasion de faire le plein d'essence et de culture en même temps. Nous avons beaucoup ri à la pensée de ce qui pouvait résulter de nos productions romanesques, que nous avions destinées à une tout autre consommation.

Si grande était notre surprise que nous n'eûmes même pas la curiosité de rendre visite à ce pompiste de la rive sud qui prisait si fort la littérature québécoise. Croit-il encore autant à la culture ou offre-t-il plutôt à sa clientèle des verres de mauvaise qualité, comme tout le monde?

J'avais oublié ce trait amusant, mais une visite chez un soldeur un dimanche après-midi où je sentais le besoin de me réchauffer — il faisait vingt degrés sous zéro — me rappela que nos œuvres, que nous aimons croire immortelles, ont parfois des destins plus humbles.

J'ai vu quelques-uns de mes romans soldés à soixante-quinze cents, d'autres à un ou deux dollars. Je n'ai pas osé m'attarder trop longtemps dans le rayon des aubaines à vingt-cinq cents. S'il avait fallu que je repère un exemplaire dédicacé avec chaleur à un confrère désargenté... Je conseillerais à n'importe quel écrivain vaniteux d'aller jeter un coup d'œil sur les livres qu'on trouve en pareil lieu. Rien ne vieillit aussi vite que les livres. Par respect pour leurs auteurs, dont certains sont fort honorables, je ne citerai aucun titre. Mais c'est fou ce qu'on a dû publier en vingt ans pour faire tourner la machine éditoriale. Dans les bacs des soldeurs, les ouvrages salués en leur temps comme des livres importants, et qui méritaient cette réputation, voisinent avec les nullités les plus innommables. Et tout cela, bon ou mauvais, a jauni, le temps a tout marqué, les efforts de modernisme paraissent désuets, l'audace est devenue conformisme gênant.

Une belle leçon d'humilité, croyez-moi. Le temps fuit, on le savait, mais pourquoi doit-il nous réduire à ce point? Les femmes que nous avons aimées, les amis que nous avons eus n'échappent pas non plus à cette métamorphose. Ainsi que le rappelle Roger Grenier dans *Une maison place des Fêtes*, «la redingote de Proust, pieusement conservée, finit par ressembler à un manteau de clochard».

Ce qui a ajouté à ma tristesse, tout amusée qu'elle fût, c'est que le dimanche après-midi est consacré aux familles. On entend des voix d'enfants, on voit s'activer des petites filles de cinq ans autour de livres de contes, et on peut difficilement rater l'adolescent qui s'aventure dans la section réservée aux auteurs classiques.

C'est un peu notre passé qui défile alors. Je ne vous cacherai pas que j'ai immédiatement songé à mes enfants à cet âge. Il est trop tard maintenant. Fini le temps où ma fille voyait en moi tout le savoir du monde. J'ai beau me dire que je me suis occupé d'elle et de son frère de façon raisonnable, mais n'ai-je pas été distrait trop souvent?

Et pourquoi ai-je été occupé ailleurs? C'était l'écriture qui m'habitait. Pour écrire des livres qui reposent sur des tables de solde, je suis passé à côté de la vie. Mais que suis-je allé faire dans ce capharnaüm? N'aurait-il pas mieux valu que je reste à la maison à imaginer le sort fait aux livres de mon ami et aux miens. Que leur advint-il, après qu'ils eurent été offerts en cadeau par le pompiste?

Le rêve passe

L'esprit d'escalier, vous connaissez? Ce que j'ai pu en trouver, des choses, en descendant des marches. À peu près comme si les idées ne me venaient qu'aidées par le mouvement des jambes. Depuis longtemps, je ne m'en veux plus de ne pas toujours avoir la répartie prompte. Je me suis évité de la sorte des disputes futiles et mon pauvre petit cœur a moins palpité.

Mon manque de vivacité est à son comble, toutefois, quand il s'agit de chansons. Les airs du passé m'ont bercé bien longtemps avant que je comprenne leurs paroles. Ainsi ce *Rêve passe* qui a bien dû me paraître, vers ma quinzième année, le sommet de l'art lyrique. L'interprétation qu'en donnait sur un ton compassé le ténor français Georges Thill me faisait entrevoir toute la poésie du monde. Croyez-vous que je songeais à l'horreur des campagnes guerrières napoléoniennes?

Vers cette époque pourtant, je souffrais mille morts parce que j'avais été embrigadé d'office dans les cadets.

Comprenez par là qu'à moins d'être unijambiste ou manchot, vous vous deviez de revêtir au collège un uniforme militaire. Ah! marcher au pas, apprendre à tourner à gauche ou à droite, présenter les armes. Pour faire vrai, on vous criait les commandements en anglais. Les porteurs d'eau avaient l'habitude d'obéir dans cette langue. Même quarante ans plus tard, je frissonne au souvenir de cette période de ma vie. D'un petit défilé ou deux, je m'étais fait une guerre du Viêt-Nam. Je me sentais ridicule de jouer au soldat. Les ordres que nous lançait au visage un professeur qui arrondissait ses fins de mois en se camouflant en lieutenant me terrorisaient. Je ne comprenais pas — et ne comprends pas encore — qu'on pût trouver plaisir à obéir en cadence. M'ordonnait-on de porter la carabine au sol que je l'élevais. Bien malgré moi, j'étais celui qui se fait remarquer.

Ainsi donc, l'adolescent terrorisé par l'acné apprenait à devenir un homme. C'était à pleurer. Et je pleurais. Pour me consoler, j'écoutais de la musique. Sur un 78 tours acheté chez un disquaire du quartier, un chanteur évoquait des réalités qui auraient dû m'horripiler: «Les hussards, les dragons, la garde, ils saluent tous l'Empereur qui les regarde.»

J'étais effrayé à la vue du petit lieutenant, et je faisais mon miel d'une chanson qui célébrait un autre petit homme, mais autrement plus terrible. Plus tard, je lirais les vers de Victor Hugo et la «morne plaine» qu'était Waterloo ne me porterait pas à remettre en question les paroles de ce *Rêve passe* de malheur.

Quand me suis-je rendu compte de leur signification exacte? Il y a dix ans, peut-être. J'étais déjà entré dans l'âge où l'on ne vit plus que par le rêve. Le texte m'était revenu en mémoire un dimanche après-midi de particulière mélancolie. Même si le disque de Georges Thill était depuis longtemps égaré, il tournait encore dans ma mémoire. Quand je me suis rendu compte de la longueur de cet escalier-là, de toutes ces marches que j'avais descendues dans l'inconscience, j'ai bien ri du risible et pourtant émouvant adolescent que j'avais été.

Vraiment pour moi, le *Rêve* était passé.

Une cravate en pure soie

L'un des problèmes majeurs qui me confrontent à cette heure est celui du vêtement. Vais-je ou ne vais-je pas apporter à mon habillement une nouvelle attention? Ou me contenterai-je d'enfiler jeans et cols roulés comme je le fais depuis une quinzaine d'années? Je n'ignore pas que les interrogations de ce genre ne pèsent pas lourd à côté des grandes questions qui agitent nos populations. Le destin m'aura doté d'une conscience modeste, qu'un rien peut venir agiter.

Vers 1970, il est devenu presque ridicule de porter une cravate. Le cheveu était long, souvent graisseux. Les professeurs d'université qui avaient des émoluments respectables de professeurs d'université s'habillaient comme des clochards. C'était l'époque du retour à la terre, d'une ferveur renouvelée pour les meubles du terroir.

Je n'ai pas tardé à suivre les mœurs du temps. Par mimétisme. Quelques photos déjà jaunies témoignent de ce changement. Ma chevelure était plus abondante, la cravate est dénouée qui m'aurait donné une allure de comptable ou d'évêque à la mode de 1973.

Je ne renie rien. Ni la correction vestimentaire qui était de mise quand j'avais vingt ans ni la libéralisation qui a suivi. Les modes sont peut-être détestables, mais je ne voudrais pas pour tout l'or du monde les troquer pour quelque diktat à saveur maoïste.

Après avoir pris goût à la liberté vestimentaire, il n'est pas facile de renouer avec la contrainte. Cette réflexion me vient spontanément lorsque je contemple, sans oser les toucher, des vêtements de qualité. Il ne me semblerait pas normal de les porter. Saurais-je le faire? N'aurais-je pas l'air un peu en représentation? Ajoutez à cela une radinerie tout évidente. Ayant connu, ainsi qu'on disait, la valeur de l'argent, je ne saurais débourser 80 dollars pour une cravate, fût-elle en pure soie.

Un jour peut-être oserai-je me déguiser en homme bien vêtu. Je le sais d'avance, l'expérience sera de courte durée. J'aime les vêtements impeccables, mais on dirait que seuls les autres savent les porter. Certains êtres ont la faculté d'avoir à point nommé les attitudes qui conviennent. Ils ont le mot juste, sont fermes sans élever la voix, savent sourire sans paraître demander l'aumône. Pour eux les cravates en pure soie, les tweeds somptueux, les cuirs italiens.

Pour ceux qui comme moi sont parvenus tant bien que mal à l'âge d'aujourd'hui, pour ceux qu'un employé de magasin un peu grincheux peut confondre à la moindre occasion, il est peut-être plus prudent de ne pas tenter de jouer au jeu de la haute élégance vestimentaire.

J'en prends l'engagement, je m'achèterai d'ici quelques semaines une cravate. La dernière fois, c'était en 1969. Devant paraître à la télévision, j'avais fait emplette d'une cravate en laine. La corvée exécutée, j'avais enfoui dans un tiroir l'objet incriminant. J'avais presque honte, me sentant un peu collaborateur. Je l'ai ressortie hier. Elle n'a pas très fière allure, défraîchie, élimée, comme si quelqu'un d'autre l'avait portée pendant toutes ces années.

Quand oserais-je mettre cette chose, ou une autre, à mon cou? Pourvu qu'on ne se moque pas trop de moi. Car je crains de paraître endimanché. Si les choses se déroulent bien, toutefois, je m'achèterai peut-être un costume. Après tout, un petit-bourgeois mal fagoté, ce n'est tout de même qu'un petit-bourgeois.

Être de la famille

Rien ne réjouit autant mon ami Henri que d'être reconnu quelque part. Entre-t-il dans un restaurant qu'il fait en sorte que le garçon le remarque. Comment s'y prend-il pour réussir à tout coup? Je n'ai jamais osé le lui demander. Ce qui est sûr cependant, c'est que sa visite subséquente en ces lieux sera soulignée de poignées de main à n'en plus finir. Les garçons, mais aussi le cuisinier, le patron, la femme du patron et sa fille, si possible.

Henri aime les gens. De s'asseoir à une table tout simplement, sans lever les yeux, serait pour lui impossible. Il va au restaurant comme un ministre va au bal. Pour être vu, pour conquérir. Comme il a de la classe, sa démonstration vaut d'être vue. Il a le compliment facile. Sa connaissance des mets et des vins qui les accompagnent ferait envie à bien des chroniqueurs gastronomiques. Je ne suis embêté en sa compagnie qu'aux moments où je souhaiterais lui parler en paix.

Comment lui apprendre que ma situation financière est déplorable ou que ma femme menace de partir avec ses bijoux, lorsque le maître d'hôtel ne nous quitte pas des yeux? Oui, Henri a de la classe, mais il est bavard, envahissant. Hier, il a donné la bise à la patronne. Les deux ronronnaient. Elle seule rougissait. Bien des sentiments me rapprochent d'Henri. Son amitié m'a soutenu depuis de nombreuses années. Mais je n'ai pas au restaurant les mêmes comportements que lui. Rien ne m'agace autant que d'être tenu pour un habitué. Si les attitudes compassées me rebutent, la chaleur exagérée m'exaspère. Je ne parviendrai jamais à appeler un serveur par son prénom et ne tenterai jamais de le faire.

Ne croyez surtout pas que cette attitude soit dictée par une quelconque hauteur. Il est à peu près sûr qu'en tout temps je me rangerai du côté des gens du service plutôt que de celui du patron. Je n'ai aucun mérite à cela, c'est ma pente naturelle. Je tiens ceux qui me servent en très sincère estime, mais le respect que j'ai pour eux ne m'incline pas pour autant à les traiter avec familiarité.

Je dois également ajouter que mon attitude s'explique par mon inhabileté à modeler ma conduite sur celle d'Henri. Je n'ai rien de son panache. Je n'ai pas comme lui le verbe haut, je ne sais pas raconter des histoires, les traits à la mode ne me viennent pas aisément.

Les garçons de restaurant le devinent à coup sûr. Ils devinent en me voyant entrer qu'ils sont en présence d'un client qu'ils pourront négliger un peu. Je m'adresse à eux à voix basse, j'ai le sourire trop conciliant. Peut-être savent-ils d'avance que je m'en tiendrai au menu conventionné et que je ne terminerai pas mon repas en dégustant une eau-de-vie fine. Quoi qu'il en soit, je sens qu'ils ont hâte d'en finir avec moi.

Si j'ai le malheur de retourner trop souvent au même bistro, c'est pire. On me salue, d'accord, à condition que rien ne soit venu perturber le service, mais c'est pour mieux me faire patienter. La table que j'aurai finalement sera la moins bonne et on essaiera de me faire choisir ce lapin chasseur que les clients du déjeuner ont boudé.

Quand je veux bien manger, je n'ai d'autre choix que d'inviter Henri au restaurant. On ne se dit rien d'important, à cause de la patronne qui finira bien par nous inviter chez elle, mais la conversation entre vieux amis tourne toujours un peu en rond après tout.

Pour les contemplatifs

Qui voudrais-je être? Les jours où la question me paraît digne d'intérêt, il me semble que je ne détesterais pas être moine bouddhiste. Je ne serais pas très exigeant. Un tout petit monastère avec eau courante et bain sauna me conviendrait. J'y méditerais à ravir sur la vanité du destin humain tout en apprenant l'aquarelle. Mes cheveux blanchiraient sans hâte et mes yeux prendraient l'habitude de regarder le ciel.

Mais que je suis loin de ce détachement tant envié! Je m'énerve si j'apprends qu'on ne m'aime pas à cause d'un avis que j'ai donné sans réflexion. Je voudrais encore que l'on m'estime en toutes circonstances. Je ne peux vivre sans la considération des médiocres et des envieux. J'ai la témérité de prétendre parcourir mon espace de vie sans susciter le moindre désaccord. Au fond de moi persiste le désir d'être admiré des imbéciles, même lorsque j'affirme des préférences qui vont à l'encontre des leurs. Je publie des livres, je ne refuse pas toujours de faire partie de jurys, je me mêle d'information littéraire dans un pays minuscule et je voudrais de surcroît l'inviolabilité.

Elle est loin, ma retraite au Thibet. L'autre jour, j'ai lu une recension d'un de mes livres qui m'a affligé. Je ne vous dirai pas le nom de celui qui l'a commise, ces choses ne se font pas. Ni non plus l'objet du litige, cela non plus ne conviendrait pas. Je ne suis tout de même pas aussi sot. Seul m'importe ici le degré d'atterrement qui était le mien le soir du délit. Il m'a semblé que le sol s'effondrait sous mes pieds, qu'on m'enlevait le pain de la bouche. À de tels moments, comme je peux détester l'écrivain en moi! Je me semble pitoyable! M'en faire à ce point, croire ma dernière heure venue, parce qu'un inconnu — je ne dis pas cela pour l'accabler — estime que mes livres ne valent pas tripette. Il avait pourtant le droit, ce pauvre enfant, de préférer les livres de Philippe Sollers aux miens. Qu'il écrive dans un journal peu lu, ou bien répandu dans les chaumières, n'avait pas d'importance non plus. Pourquoi souhaiter qu'on vous célèbre à l'unanimité?

Aussi loin du zen que du jogging ou de l'acrobatie sans fil, quel incapable je fais! Vouloir qu'on m'aime à cause de mes livres alors que rien, mais rien au monde, ne me déplaît autant que d'en entendre parler. Je me satisferais volontiers de signer mes livres d'une équation géométrique, je ne veux pas qu'on me reconnaisse dans la rue, j'ai horreur de tous les salons du livre, de toutes les réunions d'écrivains du monde. Je l'ai écrit plusieurs fois: l'avis que j'aime recevoir à propos de mes livres ne doit jamais être loin du silence. Qu'on semble ne pas m'en vouloir d'avoir écrit un roman, voilà qui me convient. Mon recenseur de l'autre jour était haineux, il se demandait comment on pouvait écrire des chroniques d'humeur. Devant pareille affirmation, il n'y a évidemment rien à répondre.

Il y a quelques années, j'affirmais que je fuyais la vie

littéraire, ses œuvres et ses pompes, pour mieux réfléchir. J'aurais craint en quelque sorte qu'on ne m'enlevât à une tâche sacrée. Aujourd'hui, mes déclarations sont plus modestes. Mon détachement par rapport aux manifestations souvent comiques du milieu du livre a rejoint mon écriture même. Il m'arrive de plus en plus fréquemment de ne plus souhaiter écrire. Je ne vois plus très bien ce que j'ai en commun avec la plupart des choses que l'on célèbre autour de moi. J'ai de plus en plus souvent des indigestions d'écriture, je crois de moins en moins aux prix littéraires qui nous inondent, je suis de plus en plus souvent atterré par les œuvres pitoyables qui se publient et qu'on louange l'espace d'une saison.

Non, vraiment, mon attitude n'est pas celle d'un sage qui regarderait pousser les pierres. Je serais plutôt du genre à les faire basculer dans le ravin. Sait-on jamais, mon détracteur pourrait s'y trouver pêchant la truite? Mais cela n'est pas un sujet d'aquarelle.

Le rose et le vert

Aimez-vous la gloire? Moi, un tout petit peu. Lorsqu'il m'arrive de rêver, c'est à elle que je songe. Je la souhaiterais alors totale, merveilleuse, pleine de toutes les exagérations. J'accepterais qu'on s'immole pour moi, qu'on répande le sang de quelque bête méchante sur l'autel d'un temple qui me serait dédié. Sans des magnificences de ce genre, je préfère l'humble obscurité qui est mon lot quotidien.

On s'est surpris dans nos milieux intellectuels qu'une diva, qui fait métier de chanteuse populaire, puisse exiger qu'on se vête de rose pour assister à son spectacle. Moi, je l'ai enviée. Si j'avais une voix que venait coiffer le sens du spectacle, j'irais bien plus loin. Mais non, je marmonne, bafouille et bégaye. Je ne monterais pas sur les planches pour tout l'or du monde.

La nature ne m'a accordé que des dons modestes. J'écris dans un minuscule bureau et le seul éclairage que je connaisse est celui d'une lampe achetée dans un grand magasin, un jour d'euphorie. Je laisse à d'autres les kaléidoscopes compliqués. J'écris, et cette activité ne m'a apporté à ce jour que de bien faibles satisfactions. Mon appétit de gloire n'a guère été rassasié. Il fut même une période où j'accueillais chez moi des gens cruels qui prenaient plaisir à me faire de la peine en buvant mon whisky. Maintenant que je suis vraiment seul avec mon chagrin, je vis dans un isolement très noble.

Serait-ce trop demander à mes lecteurs que de souhaiter qu'ils s'habillent d'une façon particulière la prochaine fois qu'ils parcourront mes pages dévastatrices? Je n'ai pas retenu la couleur orange, qui grossit, ni le bleu, qui me fait penser à la Sainte Vierge, laquelle m'a trop empêché de m'amuser quand j'avais huit ans. C'est le vert que je choisis. Un tempérament écologique, et le désir que j'ai d'être un tout petit peu stendhalien, voilà ce qui a guidé mon choix.

Oui, qu'ils s'habillent, mes lecteurs, s'ils veulent me mériter. Robes ou pyjamas, costumes de velours ou tailleurs de soie, pourvu qu'ils soient revêtus de vert. Les accoutrements les plus excentriques ne causeront aucun mal à leur réputation puisque la lecture est un geste solitaire qui peut demeurer secret. J'ai le triomphe modeste. Et un beau tempérament d'écrivain intimiste, ainsi que le prétend un lointain cousin, professeur de littérature.

Déambulations

Marcher peut être un luxe. C'est ce que je me dis parfois en regardant avancer un vieillard à petits pas. Notre société n'est pas tendre pour les piétons.

Je n'oserais avancer que Montréal est une belle ville. D'ailleurs, qu'est-ce qu'une belle ville? Paris, Florence, Genève le sont, très certainement. L'architecture de ma ville est probablement fort détestable. Je ne m'y connais guère, remarquez.

J'habite le Vieux-Montréal. Après plusieurs décennies de négligence, on y a depuis quelques années le culte des vieilles pierres. Je ne sais si on a toujours raison d'invoquer le patrimoine à la moindre menace d'expropriation, mais il m'arrive de songer avec émotion à ceux qui, il y a plus de trois siècles, vinrent jeter les bases d'une ville que j'habite maintenant.

Il n'est pas facile de marcher dans le Vieux-Montréal. Les trottoirs de la rue Saint-Paul sont cahoteux. Déserts dès octobre, l'hiver ils deviennent nettement impraticables. L'été, les touristes américains les envahissent sans gêne aucune. C'est le royaume incontesté du relâchement vestimentaire. Des corps qui se nourrissent mal fréquentent avec ennui des bimbeloteries pour rapporter de leur séjour des souvenirs d'une laideur affligeante.

Pourtant, il n'est pas toujours déplorable de voir un étranger contempler nos reliques. On se sent flatté, malgré tout. De toute manière, la vue des flâneurs a de quoi nous apaiser. On se dit que le Château de Ramezay, le marché Bonsecours, c'est quand même pas mal. Poussé par des accès de fierté, on s'insurge même contre la présence des multinationales de la restauration à l'américaine.

Pour éviter ces désagréments, il vaut mieux déambuler lentement le long de la promenade qui jouxte la rue de la Commune. Je le fais parfois. Le fleuve est tout à côté, pas toujours visible. Mais enfin, on le sait présent à quelques centaines de mètres. Cette proximité donne presque le pied marin. D'autant que les paquebots amarrés invitent à des voyages au long cours. Parfois un caléchier en mal de clients vous adresse la parole en anglais. Les clochards ont déserté le port, qu'ils ne fréquentent plus qu'au matin, à cause de l'Accueil Bonneau.

Depuis que je me suis départi de mon auto, je marche beaucoup. Les distances ont de moins en moins d'importance. Je dirais même que les endroits visités importent peu. Les automobilistes m'empêchent d'être tout à fait un piéton perdu dans ses rêveries.

Quand je ne suis pas trop mécontent de moi, je me rends jusqu'à l'emplacement du puits que mon ancêtre, Jacques Archambault, construisit aux premières années de la colonie. Au moins un Archambault qui n'aura pas raté sa vie.

Moi, j'embellis Montréal

J'aime les slogans. Aucun n'est trop simpliste pour moi. Ces phrases qui nous guident ont un ton d'affirmation qui fait bon à voir. Ces jours derniers, j'ai été fasciné par des affichettes qu'on trouve un peu partout dans la ville et qui proclament que «moi, j'embellis Montréal». Fasciné, mais aussi inquiet.

Je me demandais ce que je pouvais bien faire pour être digne de cette campagne. Il m'a tout de suite semblé que la propreté des rues pouvait être améliorée. Les Montréalais ne sont pas collectionneurs puisqu'ils se débarrassent sur la voie publique de nombreuses boîtes, bouteilles et emballages en tous genres. Plus radins, ils recycleraient ces plastiques, ces verres et ces cartons. Généreux, ils sèment à tout vent.

Armé d'un ramasse-poussière (acheté à Florence chez un boutiquier du Ponte Vecchio) et d'un balai assorti, je suis sorti de chez moi, l'autre jour. L'air était doux, je me sentais investi d'une grande mission. J'étais en quelque sorte un messager de la beauté. Citoyen parmi les citoyens, j'allais contribuer à rendre ma ville plus belle. Ce ne fut pas une mince affaire.

Je me trouvai rapidement aux prises avec une tâche insurmontable. Après avoir cueilli les détritus, où les déposer? Mon ramasse-poussière fut vite rempli, les poubelles publiques aussi. D'autant que nos concitoyens n'hésitent pas à y enfouir tout ce dont ils ne veulent plus.

L'un d'entre eux, à qui je signalais fort civilement l'inconvénient de cette pratique m'a montré un poing vengeur. Pour éviter le contact trop brutal avec mon menton d'argile, je me suis réfugié près d'un camion de la voirie municipale. Ce fut bien pire.

On me fit entendre que ma conduite était anti-syndicale. Il fallait laisser des ouvriers attitrés s'occuper de cette tâche de nettoyage. Pour bien me faire comprendre le sérieux de sa colère, le sympathique homme en bleu tordit d'un coup de poignet mon ramasse-poussière de la Renaissance.

«Moi, j'embellis Montréal», ai-je rétorqué dignement. J'aurais dû me taire puisqu'il en profita pour briser sur ses genoux mon petit balai.

Depuis cette aventure, je suis perplexe. J'ose à peine ramasser un papier abandonné sur mon parterre. Si mon geste allait être tenu pour blâmable? Il existe peut-être des brigades qui ont pour mission de surveiller ces choses.

Pas plus tard qu'hier, j'ai vu surgir un camion-citerne. Trois gaillards en sont descendus pour arroser un bac à fleurs de deux mètres carrés. L'effet était magnifique. On sentait qu'on prenait au sérieux la campagne d'embellissement de Montréal.

Si c'était à recommencer

Comme moi, vous connaissez de ces optimistes qui vivraient trois vies à la fois et qui n'ont de cesse qu'ils n'aient épuisé les autres par le récit des projets qu'ils ont en tête. Règle générale, ces énervés ne songent qu'à l'avenir. Mon ami Henri serait plutôt un optimiste à rebours. Il est pris de l'envie de refaire sa vie. À la moindre contrariété du sort, il se met à songer aux décisions qu'il aurait dû prendre, aux tournants fabuleux dont il aurait pu profiter s'il avait emprunté une voie plutôt qu'une autre. Bref, il voudrait toujours tout recommencer.

L'autre jour, nous nous promenions dans les allées du Jardin botanique. Il faisait un temps superbe, la détestable canicule n'étant pas encore venue. L'épagneul de mon ami nous précédait à une distance raisonnable. Nous nous taisions, heureux d'un silence que dérangeait à peine le roulement des voitures à quelques mètres de là.

Quand Henri s'est tourné vers moi, j'ai su qu'il était troublé. «Mais si c'était à recommencer, que ferais-tu de ta vie?» me demanda-t-il.

Sa question me surprit. Depuis au moins cinq minutes, je ne surveillais que la queue du chien. Vue sous cet angle, la vie paraît simple et supportable. Pour me donner un peu de contenance, je blaguai: je regrettais de n'être pas la femme à deux têtes. Henri s'empourpra. Force me fut donc d'être sérieux. Je le devins même avec brio, ainsi que vous le constaterez.

Puisqu'il n'était pas question de recommencer quoi que ce soit, que même les sottises de la vingtaine ne pouvaient pas être répétées, pourquoi se poser ces questions? Je ne croyais surtout pas avoir fait un succès de ma vie, ainsi que prétendent d'habitude les imbéciles. Je ne me connaissais pas de grandes réalisations ni d'échecs cuisants. Doué d'ambitions plus extravagantes, j'aurais peut-être pu exceller dans un domaine ou deux. Mais était-ce si sûr? Ne m'étais-je pas plutôt, et sans le savoir, prémuni contre des déconvenues d'importance?

Henri, qui à ce moment-là ne devait pas tellement songer à son épagneul, se mit à m'insulter. Je n'étais qu'un médiocre, un pense-petit, un fesse-mathieu. C'est avec des gens de ma trempe que l'on bâtissait des peuples sans gloire. En somme, je n'étais plus bon que pour le rebut. La perspective ne me plaisait pas outre mesure. Je n'en ris pas moins de bon cœur. Cramoisi, Henri me pria d'avoir au moins la décence de ne pas rire de ma propre médiocrité. J'étais aux anges.

Mais que ferait-il, lui, si la possibilité lui était donnée de tout recommencer? Il s'arrêta net. Mais, mais, bafouilla-t-il.

Du discours peu concluant qui suivit, il résulte que le très cher aurait souhaité rencontrer à moins de trente ans la femme idéale, l'aimer encore et être payé de retour. Il n'aurait pas détesté non plus spéculer à point nommé dans l'immobilier. Il aurait également souhaité avoir l'intelligence de postuler et d'obtenir des charges importantes dans le monde diplomatique plutôt que de végéter dans l'enseignement. En somme, lui répliquai-je, il ne t'aurait manqué que d'être beau comme un dieu grec et aussi riche qu'un émir koweitien.

Évidemment, rien ne peut être repris. Surtout la vie. Et c'est bien ainsi. Sauf peut-être cette journée au Jardin botanique qui s'est bien mal achevée. Nous avons toutefois l'intention d'y retourner, sans l'épagneul.

Vieillir

Je ne surprendrai pas mes amis en admettant d'entrée
que j'ai toujours eu la préoccupation du passé. Non comme valeur absolue, certes. Il faut être un peu fêlé pour
croire que de son temps les choses allaient forcément
mieux. Le refrain des valeurs perdues est tout aussi inquié-
tant que l'appel des lendemains sans ombres.

Le passé dans lequel je me complais, et qui me
trouble, serait comme un présent sans fin. J'aime me
remémorer certains instants irrémédiablement écoulés
pour en sentir l'odeur longtemps après

Ce penchant de ma nature m'a souvent attiré l'in-
compréhension des esprits dits positifs. On comprend
mal, chez ces gens, que je sois fasciné par ce qui a été et
qui ne sera plus. J'aime remettre mes pas dans ceux de
l'homme que j'ai été. En essayant de ne pas trop m'at-
tendrir. Il serait tellement facile de prêter à ce jeune
homme, que je me rappelle à peine, des vertus qui
n'auraient existé qu'à l'état embryonnaire.

L'autre soir, en compagnie d'Henri, nous évoquions les années de notre vingtaine. C'est l'avantage de conserver ses amis longtemps. On se voit vieillir sans trop d'appréhension. Le front d'Henri est dégarni, le cheveu gris tire sur le blanc, mais il me semble parfois n'avoir que trente ans. Il faut l'entendre parler d'un livre récent avec gourmandise, s'animer à l'écoute d'un disque. Je crois que nous vieillissons assez bien.

Henri évoquait justement avec l'émotion qu'il fallait cette soirée où nous avions assisté, au Village, à un récital de Teddy Wilson. Amoureux à l'époque, Henri n'avait d'yeux que pour sa compagne. Madeleine (ou Marie) n'est plus moi qu'un lointain souvenir. Nous étions jeunes alors, fit-il. Je ne l'ai pas contredit.

Nous sommes vieux, c'est l'évidence. Il me fit alors remarquer qu'au Québec, on est vite vieux. Les écrivains d'ici, ajoutait-il, se taisent rapidement. Rien ne succède aux feux d'artifice de la trentaine. On se retire très tôt, fortune littéraire faite. Deux ou trois hommages, un prix ou quatre, et l'on vit sur ces pauvres lauriers jusqu'au silence final.

Il plaisanta ensuite sur notre pays de bâtisseurs, amoureux d'hivers en Floride et de voitures puissantes. Tout est à consommer tout de suite. On démolit, pour mieux les reconstruire, des immeubles tout aussi fragiles et laids que leurs prédécesseurs.

Mais avais-je peur de vieillir? Je le regardai en souriant. Le trouvais-je un peu sot de poser la question? Je le rassurai. Bien sûr que j'avais peur de vieillir.

Viendrait un moment où l'un de nous deux mourrait. Notre si longue amitié ne serait plus qu'un souvenir. Au moins nous aurions connu cela, cette certitude, pour affronter la mort irrémédiable. Nous étions en enfer, puisque nous étions des êtres vivants, mais nous avions pris une assurance sur l'atrocité de la vie.

Tout compte fait, ce fut une belle soirée. J'en fus

réconforté. Je ne suis pas sûr du tout cependant que la perspective d'avoir de beaux souvenirs me consolera beaucoup le jour où j'apprendrai que mon ami a eu une attaque fatale.

L'esprit d'invention

Il vous arrive d'avoir des regrets? Moi, rarement. Quand une chose est faite, aussi bien n'y plus songer. Les regrets que j'entretiens sont d'un autre ordre. Par exemple, j'aurais bien aimé être inventeur. Léguer mon nom à une trouvaille même modeste m'aurait comblé. Au rythme où vont les choses, toutefois, j'estime prudent de bannir tout espoir à ce sujet.

Je n'aurai donc été qu'une andouille. J'aurai vécu plus de cinquante ans sans alléger le sort de l'humanité d'aucune manière. Il y a tant de domaines où j'aurais pu apporter une contribution utile. Je n'ai qu'à lever les yeux pour voir des objets déficients. Les modifier, moi? Pas question. Une andouille, vous dis-je.

Je trouve au reste que l'histoire est souvent ingrate pour les inventeurs. S'ils ont eu l'esprit d'initiative, ils se sont enrichis grâce aux brevets qu'ils se sont empressés d'enregistrer. Mais leur nom passe rarement à la postérité. Qui a inventé le rasoir électrique, le papier journal, la poudre à récurer les éviers, le yo-yo, le yaourt? Les héritiers n'ont eu de cesse qu'ils n'aient dépensé le dernier sou de l'inventeur pendant que ce dernier pourrissait dans la terre, la tête levée vers le ciel (ou plutôt vers le satin du cercueil, un satin de qualité médiocre).

Il me semble que si un jour j'ai une idée, une vraie idée, utile, originale, je vais me dépêcher de la publier. Que sert d'avoir trouvé le secret d'une lotion qui empêche la barbe de repousser si elle ne porte pas votre propre nom? La tondeuse à gazon silencieuse dont j'aurai peut-être l'idée une nuit d'insomnie s'appellera la tondeuse Archambault. Je rêve à ces banlieusards qui pourraient dorénavant dormir le samedi matin grâce à moi.

Le souci de la gloire ainsi obtenue l'emporterait de loin chez moi sur le désir de l'enrichissement rapide. L'argent, c'est bien connu, ne sert qu'à corrompre l'homme. Il ne faudrait tout de même pas qu'un cerveau fertile au point d'avoir conçu une invention de cet ordre se dégradât.

Mais le temps fuit. Serai-je visité par l'inspiration avant ma mort? La guigne qui me poursuit depuis ma naissance fera peut-être en sorte que j'aurai l'idée de transformer l'eau du Saint-Laurent en Château-d'Yquem sur mon lit de mort. J'aurai trouvé une solution miracle, mais je ne pourrai transmettre mon savoir au médecin qu'à l'aide de signes qu'il ne pourra comprendre.

Qu'ils ont eu de la chance, ceux qui ont signé leur passage sur terre! Les Léonard de Vinci de tous acabits, je les admire. Ils méritent au moins cela. Si l'humanité m'avait attendu, la roue serait encore carrée et les ponts jamais suspendus. C'est pour me faire pardonner cette incurie que j'écris des livres dont les libraires ne veulent pas.

Éloge de la richesse

Lorsque je vais chez mon dentiste, j'ai vraiment l'impression d'être quelqu'un. Les prix que pratique ce professionnel de la santé me procurent l'illusion de vivre la vie des riches. Le haut standing a de quoi enivrer. C'est pourtant dans la salle d'attente de mon dentiste que j'ai lu une nouvelle qui m'a bouleversé. Le premier ministre du Québec affirme qu'il ne se sent à l'aise qu'au milieu de l'austérité.

Il disait, l'air d'y croire, que ses ministres devraient se serrer la ceinture, qu'ils devraient éviter d'aller à l'étranger sans raisons urgentes, et surveiller leurs notes de frais. Il ajoutait même qu'il ne se sentait pas à l'aise, bien que premier ministre, dans quelque extravagance que ce soit.

Le but est louable, je n'en disconviens pas. À quelques semaines de la déclaration fiscale que nous sommes tous tenus de produire, c'est même très rassurant. L'exemple vient de haut et le contribuable pressuré peut se dire que son argent est dépensé à bon escient. Rassurant pour les autres, mais pas pour moi. Les politiciens croient-ils que je me dérange pour aller voter à seule fin de savoir qu'ils voyagent en classe économique et qu'ils n'appellent jamais leurs femmes en se servant de la carte de crédit du ministère? Même si l'honnêteté ne me déplaît pas en principe, et qu'elle peut parfois conduire à la vie éternelle, j'insiste pour être dirigé par des gens qui voient grand. Si mon ministre de la Culture ou de je ne sais quelle discipline se rend à Paris en service commandé, je ne voudrais pas qu'il descende dans un deux étoiles. Puisqu'il me représente, puisqu'il parle au nom des miens, qu'il le fasse avec classe.

Dans la salle d'attente du toujours même artisan de luxe, j'imaginais mon ministre préféré reçu à l'Élysée. Le président de la République le recevrait en grande pompe. Il ferait semblant de parler français, saurait se débrouiller avec le couvert, manierait avec tact le baise-main. Toutes choses, vous en conviendrez, qui s'apprennent difficilement en ne fréquentant que les arrière-cuisines.

Pauvre premier ministre, il est tellement préoccupé par la morale qu'il ne se méfie pas assez du courant de puritanisme qui balaie l'Amérique. Il craint l'opinion publique. Ce sentiment l'honore, mais pourquoi n'est-il pas un tout petit peu dentiste?

Qu'il prenne exemple sur le mien. Il n'arrache plus de dents, mais voyage beaucoup. Quand il se rend à Venise, il ne descend qu'au Gritti. C'est pour cette raison que je le prends au sérieux et que j'ouvre la bouche dès qu'il se penche sur moi.

Minuit, chrétiens!

Aucun doute, nous vivons dans un monde aux attitudes inqualifiables. Cela ne m'empêchera pas de les qualifier de surprenantes. La veille de Noël, on aime tout le monde, excepté ceux qui ne pensent pas comme nous. Ne voilà-t-il pas que j'apprends que le *Minuit, chrétiens* est interdit dans les églises. Étonnante décision qu'ont prise des gens qui ont accueilli des messes dites à gogo et qui ont relégué le chant grégorien aux oubliettes. Pour peu j'en deviendrais intégriste. Du moins pendant la nuit de Noël.

On ne doit pas plus toucher à *Minuit, chrétiens* qu'aux chants superbes et divins que sont le *Ô Canada, Les anges dans nos campagnes* et *Le rapide blanc*. Le faire, c'est attaquer notre identité nationale, notre fierté.

Si j'ai l'air ému à ce point, c'est que je sens qu'un monde s'effrite sous moi. Des pans tout entiers de mon enfance me reviennent en mémoire. Quand mon père prenait un verre — ce qui ne lui arrivait qu'à la période des Fêtes — que chantait-il? Certainement pas *Le petit renne au nez rouge*. Oui, c'était l'heure solennelle et nous en étions tous ébahis. Moi, en tout cas, qui l'écoutais et qui estimais qu'il était le meilleur chanteur du monde. Est-ce l'admiration sans bornes d'un fils pour son père que ces gens d'église veulent détruire? Évidemment, je ne protesterais pas si fort si je ne sentais que j'assiste à un profond travail de sabordage. On nous enlève notre enfance, l'air de rien.

Les curés qui ne s'habillent plus comme des curés, les religieuses qui conduisent des tracteurs, les papes qui voyagent comme des émirs nous mènent à la perdition. Où allons-nous? Bientôt, pour devancer tout le monde, l'église québécoise féminisera le nom de Dieu.

Je le répète, je me sens visé dans mon être même. Doué d'un esprit plutôt ironique, j'aime bien me moquer. Mais il est des choses que je respecte. S'attaquer à mon cantique favori! En voilà une que je n'attendais pas.

Je croyais pouvoir vivre jusqu'à un âge avancé, bercé par les effluves de ces saintes paroles. «La tache originelle» serait le passage incriminant. Que ceux qui n'ont pas la tache originelle lancent la première pierre.

Oui, j'avais formé le dessein de me faire conduire, vers ma centième année, sous les voûtes d'une cathédrale, au besoin dans mon cercueil, pour y entendre une dernière fois cet incontournable tube des croyants. La grâce aidant, j'aurais pu applaudir, comme au spectacle.

Ce soir, je serai triste devant mon arbre de Noël. Comme d'habitude, les cadeaux m'auront déçu. Je songerai à mon carnet de banque dégarni. Pas de doute, la morosité me gagnera. *L'Homme-Dieu* pourra bien tenter de m'égayer un peu, mais sans succès. Les boules et les bougies du sapin me seront autant de signes dérisoires du temps qui passe.

Ma seule joie consistera à entonner mon air favori en maudissant les curés. Je deviendrai alors plus nostal-

112

gique, j'aurai une douce pensée pour mon père. Je m'engage à ne pas chanter trop fort pour ne pas incommoder les voisins.

Poussez fort

Certaines des personnes qui me font l'honneur de me lire régulièrement croient peut-être que je suis porté vers l'exagération. J'avoue que je me laisse parfois aller à l'hyperbole avec gourmandise. Par crainte de passer inaperçu, probablement.

Je suis bien prêt à confesser mes fautes, mais le temps est venu pour moi de dévoiler un secret. Le public ne sait pas que sur la porte d'entrée du *Devoir*, rue du Saint-Sacrement à Montréal, on peut lire un avis qui recommande au visiteur de pousser fort. J'ai reçu le conseil sous toutes ses formes. J'appuie mon épaule sur la porte comme l'être éminemment viril que je suis. J'écris de même.

Car pour faire son chemin dans le milieu fermé du journalisme, il faut une rare détermination. Surtout si, comme moi, on s'entête à écrire avec une modeste Adler. En ces lieux, on s'est converti à l'ordinateur. Comment pourrais-je de toute manière laisser libre cours à ma mélancolie en appliquant mes doigts ridés sur ces claviers de la technologie?

Puisqu'il est admis que je pousse fort, que la carica-
ture ne m'est pas étrangère, pourrais-je brouiller un peu
les cartes en faisant pendant quelques lignes l'éloge de
l'*understatement*? C'est pour mieux déguiser ma timidité
que je force parfois le trait.

Pour revenir à cette satanée porte, n'était de l'invitation à pousser fort, je me contenterais probablement
de glisser mes enveloppes sous elle. Je craindrais en la
violentant d'être trop bruyant. D'autant que je me
souviendrai toujours de cet avertissement que me servit,
il y a fort longtemps, un vieux journaliste: «N'entre pas
qui veut au *Devoir*», disait-il. Son figuré d'hier est devenu
le propre d'aujourd'hui.

Oui, je me moque, je mets une sourdine à ma
discrétion. Puisqu'il faut pousser, poussons! Mais mon
être profond, celui que je ne dévoile jamais en présence
d'inconnus, du moins avant minuit, préfère l'allusion
discrète à l'affirmation.

L'une des raisons qui me portent à tenir ma colla-
boration au journal pour bénéfique a à voir avec ce
«poussez fort». En obéissant à la consigne qui m'est ainsi
donnée, j'ai l'impression de faire partie d'une grande
confrérie. Moi aussi, je croque dans le fruit en tout
enthousiasme.

L'autre jour, pourtant, on avait ajouté un autre
message. On y lisait: «Tu peux sonner, Robert». Je n'ai
pas beaucoup prisé la chose. Qui était ce Robert? Un
être trop faible pour pousser la porte? Un privilégié devant
qui on s'empressait de dérouler le tapis rouge? Je me suis
senti lésé. Je me demande même si j'aurais accepté qu'on
s'adresse à moi sur une affichette. Je veux de la discrétion.

Pendant combien de temps encore irai-je porter moi-
même mes textes rue du Saint-Sacrement? Jusqu'à ce
qu'on m'avise de garder pour moi mes proses. Il n'est
pas à prévoir en tout cas que je supporte que quelqu'un

d'autre le fasse à ma place. Je veux être aux toutes premières lignes du combat. Si un jour, les choses changeant, on omettait de nous conseiller de «pousser fort», j'aurais l'air de quoi? Aurais-je même le temps d'adopter un style mesuré qui mène à la perspicacité, à l'analyse sereine, donc à la page éditoriale?

Qu'en pense Robert, lui qui ne pousse jamais très fort?

Comme un gruyère

Henri a une nouvelle compagne. Il file le parfait bonheur, comme on dit. Mais je ne veux pas trop insister là-dessus, l'ami finira bien par m'apprendre qu'il a rompu. Eh bien, qu'il rompe, je continuerai toujours d'être l'ami de Martine. Si elle le souhaite, évidemment. Martine estime peut-être que je ne suis plus très jeune. Elle vient d'avoir trente ans, j'en ai plus de cinquante. Cet écart semble nous rassurer. Moi, en tout cas, si je cherche à lui plaire, c'est sans arrière-pensée. Quand nous allons déjeuner, sans la présence d'Henri, mon cœur est en fête. Il serait faux de prétendre que je suis le grand frère. À moins que les grands frères ne soient fascinés par le regard de leurs petites sœurs.

Ce que j'aime au-dessus de tout chez Martine, c'est qu'elle ne dit jamais «les hommes, vous êtes comme ça» ou encore «nous les femmes, nous savons que...» Si elle se moque de moi avec tant d'habileté, par exemple, c'est qu'elle est tout aussi féroce pour elle-même.

Hier, elle était particulièrement en forme. Te

souviens-tu, me disait-elle, de 1976? Bien sûr que je m'en souviens. Le soir de la victoire du Parti québécois au centre Paul-Sauvé, le discours de René Lévesque, le souffle de fierté qui illuminait les moins convaincus d'entre nous. À peine onze ans plus tard, que restait-il de cette fièvre? Tout aussi inexistante dans les consciences que le souvenir que semblait garder Henri de sa première compagne. Que nous était-il donc arrivé? Le mot de Québec qu'on employait à toutes les sauces dans ces années-là avait cédé la place à celui de Canada. Nos velléités d'indépendance avaient fait long feu.

Le plus étonnant, continua Martine, en appuyant le menton sur son poing, était que la plupart du temps les commentateurs politiques semblaient avoir oublié que quelque temps auparavant il n'avait été question que de ces préoccupations. Notre peuple, continua-t-elle, a oublié son histoire récente comme il a balayé ses croyances religieuses. Notre mémoire est parsemée de trous.

J'ose à peine l'écrire tellement le risque d'être mal interprété me guette, mais les yeux de Martine à ce moment-là étaient rempli de feu. Son indignation la rendait plus belle encore. Les plus intéressantes conversations que j'avais eues avec Henri n'avaient pas cet intérêt.

Je comprenais une fois de plus pourquoi, au fond, seule la communication que l'on peut avoir avec une femme peut satisfaire un certain genre d'hommes, dont je suis. Aurais-je connu la même fascination si les idées de Martine n'avaient pas été les miennes? Je ne sais pas. Pendant deux heures, j'avais connu une ivresse d'une qualité bien particulière.

Très bientôt, Henri m'apprendra qu'il en a assez de Martine. J'en serai bouleversé. Je craindrai qu'elle ne s'éloigne de moi. Ce sera comme si un peu de vie en moi s'effritait. Lui ne sera pas beaucoup affecté. Il me parlera d'une autre femme rencontrée à un vernissage, tellement plus sensationnelle, et que j'aimerai sûrement.

Un authentique Québécois, le cher Henri, la mémoire comme un gruyère.

Fumeurs

Il semble que très bientôt tous les restaurants du Québec seront dotés de sections non-fumeurs. Ainsi donc, les non-fumeurs, dont je suis, continuent leur action terroriste. Quelle bête étrange que l'homme qui entend toujours exercer sa loi partout où il passe. Il est parti à la chasse à la cigarette comme, à l'époque de la prohibition, il traquait les alambics clandestins. Dire que lorsque j'étais adolescent on me regardait de travers parce que fumer ne me disait rien. Je n'avais pas l'air homme. À l'heure d'aujourd'hui, un fumeur fait plutôt figure de sidatique modéré. C'est un pestiféré, un faible.

Des sections non-fumeurs dans les restaurants. On se croira en avion. C'est plus économique et on n'a pas à craindre les explosions en plein ciel. Mais puisqu'on en est à faire des clivages entre les éléments de la population, pourquoi n'appose-t-on pas sur la partie du restaurant où on grille du tabac des affiches ainsi rédigées: «Personnes sans discipline», «Molassons invétérés», «Cancéreux en puissance»? De cette manière, on serait sûr de bien identifier les coupables. Ceux qui s'aventureraient dans ces réserves seraient des êtres convaincus, de fortes natures capables, au fond, de mettre fin à leur tabagisme s'ils le souhaitaient. Il ne faut pas rigoler avec ce problème. Vialatte nous rappelle que le sultan Ahmurat IV ordonnait qu'on coupât le nez et les oreilles des fumeurs. On était sérieux en ce temps-là. L'autre jour, j'ai cassé la croûte dans une section pour fumeurs. Par inadvertance. Ça n'a pas plu. On m'a dit que j'usurpais un droit. J'enlevais la place à un fumeur. Ma défense était prête. Quelle importance au fond que je paraisse prendre plus de soin de ma santé que les fumeurs intraitables qui s'enfumaient dans la joie, puisque nous avions, fumeurs ou non, mangé la même nourriture de qualité douteuse et à haute teneur chimique? Nous sommes devenus amis. Pour ne pas être en reste, j'ai même fumé un peu.

Mutations

Il vaut souvent mieux s'en tenir aux manchettes. Ce sont elles qui font rêver. Ainsi celle que j'ai recueillie dans le journal d'hier: «Plus d'hommes que de femmes désirent changer de sexe».

Je me suis empressé d'oublier qu'il s'agissait de transsexuels souhaitant se faire opérer, pour phantasmer sur le côté nettement plus globalisant de la manchette. Désirez-vous changer de sexe? Moi, non. Pas plus que je ne souhaiterais être la nièce du pape.

Devenir une femme, je n'y ai jamais songé. On peut admirer, de près ou de loin. Je n'y manquerai pas jusqu'à ma dernière heure, mais je suis trop respectueux du mystère qui nous sépare pour souhaiter le transgresser. Je préfère rester mâle. Et de l'espèce la plus modeste encore. Je me sens plus à l'aise malgré tout dans cet emploi que je tiens depuis un certain nombre d'années.

Si vous insistez toutefois, je finirai par admettre que je ne détesterais pas parfois être un chat. Ces splendides bêtes qui passent leur vie à dormir et à rêver me font envie. Surtout quand il fait mauvais. Par temps plus clément, je me contente de ma réalité. Nous avons un pacte, elle et moi, dont je ne peux rien dévoiler. Quand la vie quotidienne ne me satisfait pas, j'accepterais bien d'être Dieu. Me transformer en Saint-Esprit, sous la forme d'une colombe, pendant une journée ou deux, ne devrait pas être un sort détestable. À condition de se tenir loin du chat que je serais peut-être en même temps. Mais croyez-vous que les femmes souhaitent devenir des hommes? Si c'est pour obtenir les privilèges dont nous bénéficions encore, je le comprends volontiers. Mais pour le reste, j'en doute fort. Les hommes ont bien souffert des pluies acides ces dernières années, ils vieillissent de façon précoce, ils s'enferrent dans des guerres de plus en plus meurtrières et ne respectent plus la nature.

Maintenant qu'approche la fin de cette méditation matinale et néanmoins profonde, je peux bien avouer que la seule transformation que je souhaiterais dans un monde idéal serait de ne pas vivre du tout. Mes ennemis diront que ce vœu est exaucé puisque je n'existe pas, que je ne suis qu'une poussière, mais j'aimerais n'être encore qu'une probabilité. Ce ne serait pas mal de naître en 1995, par exemple. Ah! naître cette année-là avec le droit de décider si oui ou non l'aventure vaut d'être tentée. Ô monde qui m'accueillerais alors, tu ferais mieux de te bien préparer, car j'aurais l'œil très critique.

À moins, évidemment, que ma mère ne soit irrésistible...

Gérontologies

On le répète, les populations d'Occident vieillissent à un rythme effarant. En nos contrées, à ce qu'il paraît, on s'enthousiasme pour tout, sauf pour la transmission de la vie. Pour affirmer que la gérontologie est la science de l'avenir, il faut toutefois se fier aux statistiques, aux études savantes.

Les vieux existent, puisque les ordinateurs nous le confirment. Mais les vieux ont changé. Sortez dans la rue, regardez autour de vous, vous verrez que les vieux ne sont plus les vieux. Il y en a bien quelques-uns, je le concède. Mais la plupart ne s'avouent plus comme tels, se camouflent, se maquillent, adoptent des tenues qui ne sont pas de leur âge.

Quand j'étais enfant, les femmes étaient vieilles à quarante ans. Les maternités successives avaient vite fait de ravager leurs corps. Le travail à l'usine prenait soin de celui des hommes. Le spectacle aurait dû nous désoler, nous les jeunes, nous enseigner que notre jeunesse serait brève. Je ne peux me prononcer pour mes compagnons de jeux d'alors, mais il me semble que nous n'avions pas de pensées de cette nature. Les vieux avaient abdiqué très tôt et nous laissaient la place. Ne sachant trop ce qu'était le bonheur — quand on quitte l'école à dix ans, on n'a pas le loisir de songer à ces balivernes — ils s'effaçaient devant nous, les enfants. Ils devaient voir dans nos yeux des lueurs de liberté que nous ne soupçonnions pas.

Notre époque n'accepte pas le vieillissement. Quand on a des biens à l'ombre, on compte sur les soins que nous prodigueront des professionnels de la santé. Moins fortuné, et si on a quand même de la chance, on peut à peine espérer finir son agonie dans un mouroir sordide. Dans un cas comme dans l'autre, on n'est au dernier âge de la vie qu'un survivant.

Je ne suis pas sûr du tout que les prétentions à la jeunesse qu'on n'a plus soient une solution à la misère du vieil âge. Il m'arrive de songer aux vieillards de jadis. Il me semble que tout compte fait leur renoncement était plus sage que la comédie d'aujourd'hui. Ils s'étaient en quelque sorte retirés du commerce de la vie et se refusaient à jouer un jeu dont les résultats sont toujours décevants.

Ces rides qu'on ne parviendra plus à dissimuler, cette démarche hésitante, ces vêtements qui n'ont pas été pensés pour vous, tous ces traits nous trahissent.

J'en parle à mon aise, puisque je ne suis pas encore un vieillard. Pas encore, mais le temps qui bondit sur moi m'aura bientôt terrassé. C'est alors seulement que je pourrai me prononcer. Je dois bien avouer que je me suis bien mal préparé à cette période. Il m'arrive trop souvent d'oublier que je suis dans ma cinquantaine et de réagir comme si j'avais vingt ans de moins. Ce sont les autres qui connaissent au premier coup d'œil notre âge. Nous, on réagit un peu comme l'adolescent que nous avons été. La jeunesse nous apparaît-elle sous les traits d'une femme aperçue au détour d'une rue que nous nous croyons bientôt habités par la grâce. Comment admettre qu'on ne sera bientôt qu'un autre des vieillards d'Occident?

Déneigement

Comme la ville était calme ce matin. Peut-être serez-vous tentés de répliquer qu'elle l'est moins sur les autoroutes et dans les artères principales. Vous avez raison, mais je parle de rues sans panache, non de boulevards à circulation dense. Le matin, tout est silence. Mais la nuit, en hiver, Montréal vit intensément. Vers 10 heures du soir, une armée de camions, de déneigeuses, de souffleuses font leur apparition. On se demande toujours d'où peuvent venir ces mammouths motorisés.

On s'apprête à se coucher, on a donné sa pâtée au chat, on s'est fait une beauté pour la nuit, lorsque tout à coup on entend un petit bruit, presque rien. Quand le voisin du dessous tousse, c'est bien pire. Et pourtant.

Le bruit est à peine audible, mais si on a l'expérience de la vie que j'ai, on se met à trembler. On sait en effet qu'il sera impossible de dormir. Car dans cinq minutes, c'est la maison entière qui tremblera. Un coup d'œil à la fenêtre, si le givre le permet, vous laisse apercevoir une armada de camions. C'est le pied de guerre.

À côté de cela, la mise en œuvre de la loi des mesures de guerre en octobre 1970 était de la bouillie pour les félins. Personne ne va en prison, me direz-vous. Mais c'est pire, tout le monde est derrière les verrous. Mais non, c'est la fête. On nous fait la fête. Qu'on ne vienne jamais me parler de l'ardeur au travail des Japonais. Nos cols bleus ne donnent pas leur place quand il s'agit de laisser tomber sur le sol le grattoir de leurs chasse-neige. Ils n'ont de cesse qu'ils n'aient rejoint l'asphalte. Vingt fois sur le métier, tel est leur art poétique. Ne pas oublier non plus ceux qui vont à belle allure sur leur camion-chenille. C'est un ballet échevelé. Pour un peu ils prendraient des paris. Peut-être le font-ils.

Je ne comprends pas le maire de cette ville de ne pas inaugurer officiellement les tempêtes comme on le fait pour les grands événements. Il y a quatre débordements de la nature par an. Pourquoi ne se donnerait-il pas la peine de se rendre à l'hôtel de ville, en ces grandes occasions? Il pourrait annoncer que la tempête est ouverte. Montréal en profiterait. Quant à moi, je vais aller me coucher. À moins que mon voisin, celui qui tousse, ne choisisse de passer l'aspirateur.

Lectures

Ne pas savoir lire coûte cher, nous apprend la presse canadienne. J'aimerais dire, quant à moi, que de savoir lire coûte cher aussi. En somme, vivre est au-dessus de nos moyens. Que m'a effectivement apporté le fait de savoir lire? Je suis tout à fait prêt à concéder que, sans cette aptitude, j'aurais ignoré Stendhal, Léautaud, Perros. Pas mon ami Jacques Brault, car il est tellement généreux qu'il m'aurait lu ses textes à haute voix.

Mais à part ça? L'argent que j'ai dépensé pour les livres! Des liasses et des liasses de billets de banque à me procurer des Pléiades, qu'au reste je n'ai pas lues, et des chefs-d'œuvre qui ont eu la fâcheuse tendance de me prouver que ce que j'écrivais ne valait pas tripette.

Si au moins j'avais eu le don particulier de ne pouvoir lire que les bons écrivains. Les grands modèles peuvent vous inspirer, je le concède, et il n'est peut-être pas mauvais de se ruiner pour les avoir chez soi, à portée de la main. On boit du vin de mauvaise qualité à la place d'un meursault, on a l'estomac brouillé, au moins on a de la culture. Lire Balzac, d'accord. Mais les critiques, ceux qui me font de la peine et qui ne comprennent pas que mon âme est belle et immortelle, malgré les fautes d'orthographe et de composition que je peux commettre, pourquoi suis-je capable de les lire? Je serais tellement plus heureux si je ne parvenais pas à déchiffrer leur style relâché, abscons. Oui, les lire m'a coûté très cher, puisqu'ils m'ont parfois fait perdre ma bonne humeur. Quelques-uns m'ont porté à envisager des solutions extrêmes, comme me pendre à un arbre ou me teindre les cheveux.

Lire m'a mis bien des choses inquiétantes en tête. Ce sont les livres qui m'ont appris que l'amour est difficile, que la vie est courte et semée de désillusions. Tout seul, je n'aurais jamais éprouvé ces sentiments. L'homme naît ignorant, la lecture le corrompt.

Qui sait si la lecture, qui m'a permis de faire une puissante carrière d'écrivain, ne m'a pas détourné d'un destin autrement plus satisfaisant? À cause de cet engagement, j'ai écoulé ma vie à côtoyer des confrères, des journalistes, des musiciens, qui sont tous comme vous savez des va-nu-pieds. Pour ne pas me faire remarquer, j'ai fait comme eux, je me suis couché tard, j'ai entretenu des danseuses. Analphabète, je me défendrais à Wall Street, l'une des danseuses serait ma femme et je ne connaîtrais pas le doute. De A jusqu'à Z, lettres, je vous hais.

Sceptiques

Je lis trop les journaux. Si je n'avais pas ouvert ceux de jeudi dernier, je serais probablement plus heureux aujourd'hui. Mais non, il a fallu que j'apprenne l'existence d'une association appelée «Les sceptiques du Québec».

Les sceptiques du Québec! Vous vous rendez compte? Les fondements de notre société sont ébranlés. Comment vivre sans illusions? Vous saviez que cette femme n'était pas faite pour vous, mais vous avez emménagé avec elle. Vous n'étiez pas assez sceptique et devez, de ce fait, envisager de déménager à nouveau.

Les sceptiques du Québec! Nous voilà bien pris. Normalement, remarquez, j'aurais été ravi que des scientifiques fondassent une société ainsi nommée. S'ils se sont manifestés, c'est qu'ils n'ont pas prisé qu'un temple du hockey soit occupé, l'espace d'un soir, par des vendeurs d'espérance céleste. Les télévangélistes leur apparaissent comme autant d'ennemis.

Pourquoi diable ne m'ont-ils pas demandé de faire partie de leur association? Il me semble que j'ai l'esprit suffisamment réticent, et il est évident que j'aurais payé ma cotisation annuelle à point nommé.

Peut-être n'ont-ils pas osé. Parce qu'ils me trouvent inabordable? Les succès sans nombre que j'ai remportés ne me sont pourtant pas montés à la tête et je n'ai jamais refusé de donner la main à un ministre qui m'offrait une bourse, une récompense ou un voyage d'études en Polynésie.

À moins que ces gens n'aient estimé que ma formation scientifique était trop déficiente. Pourquoi de toute manière une association qui revendique le scepticisme ne deviendrait-elle pas sceptique envers la science elle-même?

Qui est plus sceptique qu'un écrivain? Je me prendrai en exemple afin d'éviter les poursuites en diffamation. Je le jure, je n'ai jamais cru à la nécessité de la loi des mesures de guerre, je me demande même si j'existe, si cette chronique est une chronique et si j'aurai la force d'y mettre un terme logique.

Peut-être céderai-je à la tentation de fonder mon propre club sélect et sceptique. Ne seront admis que ceux qui seront sceptiques devant les idées. Ce sont elles qui nous mènent à la catastrophe. Au début, une idée peut être acceptable, mais au bout de quelques mois, fatalement comprise par un imbécile, elle se dégrade. Une idée qui fait son chemin aboutit toujours, dans quelque amphithéâtre, à l'exploitation des masses. Jamais au miracle.

Pour ne pas encourager indûment la morosité de la plèbe, et pour ne faire de peine à personne, j'appellerai mon club «Les amis sceptiques croyants d'Archambault». On pourra y adhérer en toute confiance.

Problèmes

Dieu qu'il y en a, des problèmes! Il y en a partout. À la télévision, dans les journaux, dans la vie parfois. Parle-t-on de quelqu'un, c'est qu'il a le cancer ou le sida, qu'il est alcoolique ou qu'il présente les symptômes d'une maladie rare et par le fait même intéressante. Les médias, auxquels on s'abreuve même si on s'en défend bien, sont plus portés à se pencher sur l'être humain dans la mesure où le problème à illustrer fait choc. Une femme qui aime son enfant, un enfant qui le lui rend bien, voilà qui se transforme mal en document d'information. Vivement qu'on nous trouve un père qui bat sa fille parce qu'elle refuse ses avances. Tant mieux si, de surcroît, elle est affligée d'une tare grave. Tout cela est tellement réaliste. On a l'impression à bon compte d'être devant ce spectacle un affranchi, de connaître ce que l'on nomme rapidement la «vraie vie».

Et l'on nage dans le sordide. Il ne sera jamais vrai pourtant que la vie se résume à ces constats. Que de pauvres êtres en soient réduits à la consommation abusive de la drogue ne nous surprend plus. Ce qui étonne, en revanche, c'est l'insistance que l'on met à nous les décrire dans toutes leurs activités. Ce qui était hier jaunisme est devenu journalisme percutant. À percuter à tort et à travers, on ne produit qu'ennui et médiocrité. Comment discerner un cri bien senti dans une foule vociférante?

Il m'arrive de me demander si je ne mène pas une vie bien insignifiante, tout compte fait. Puisque je ne souffre d'à peu près aucun des maux qu'on décrit à l'envi ces dernières années. Aucun doute, mon bien-être apparent est suspect. Je dois couver un mal irrémédiable.

Pas de doute non plus que je sois un demeuré authentique pour la plupart des caïds et de leurs bonnes femmes qui viennent librement à la radio et à la télévision raconter comment ils se débrouillent avec la vie. Le récit de leurs exploits, pour peu qu'ils ne soient pas trop crapuleux, prend l'allure d'aventures à la Arsène Lupin.

Me blâmerez-vous de dire que je suis devenu à ce chapitre passablement plus difficile à convaincre? On a banalisé le crime, la souffrance, les déviances. Nous avons trop pleuré, les larmes ne nous viennent plus aussi aisément.

Et pendant ce temps-là, savez-vous ce qui se passe? La vie s'en va. À force d'entendre parler de problèmes, on oublie le seul problème réel, qui est celui de mourir. On jurerait que toutes ces démarches pour illustrer la complexité de la vie, que tous ces efforts pour souligner les déficiences dont nous, pauvres êtres humains, sommes affligés, n'ont à la fin que le mérite de nous distraire.

Il est des gens qui oublient l'horreur de la pelletée de terre finale en se divertissant aux spectacles de variétés. D'autres choisissent la voie ardue. Ça fait tellement plus sérieux de s'intéresser au destin d'un désespéré qui n'a que quelques jours à vivre. Que l'affaire soit traitée entre deux publicités ne dérange plus personne.

Nous en sommes là. Il y a quand même des moments où la musique et les livres, et un tout petit peu la vie, nous bercent. De cela non plus, on ne parle pas.

Les anciens

Rien ne m'intéresse moins que l'avenir. À part le présent et le passé. Je tire le meilleur que je peux d'un amalgame de ces trois états pour me constituer un art de vivre. Le coq venait à peine de chanter, tout à l'heure, pas chez moi, mon chat ne le tolèrerait pas, que je me suis mis à penser à l'invitation qui m'était faite d'assister à une réunion d'anciens. Quand on n'a plus vingt ans, on est toujours l'ancien de quelque association, quelque part.

J'avais bien reçu un carton, mais je m'étais empressé de le jeter à la corbeille en même temps qu'un programme électoral. Je n'y aurais plus songé, si un ex-condisciple ne m'avait relancé. Je lui ai expliqué le plus civilement du monde que je n'acceptais jamais de participer à des soirées de ce genre. Toujours prêt à remettre mes pas dans les pas de celui que je fus, je veux être seul à ces moments-là. Que mon comportement soit bizarre, j'en conviens facilement.

Je fus pendant deux ans élève du collège Sainte-Marie de Montréal. Je n'y fus ni particulièrement heureux ni particulièrement malheureux. Il m'arrive parfois de passer devant les pauvres vestiges qu'ont laissés de cette institution de fort contemporains travaux et de songer avec un amusement attendri à ces litanies de la Sainte Vierge auxquelles nous étions tenus d'assister chaque samedi après-midi. Que nous étions sages, malgré nos vingt ans! De 16 heures à 16h30, et après un examen de surcroît. Il est vrai que nous allions nous dévergonder, du moins quelques-uns d'entre nous, à une taverne des environs, après exécution desdites litanies. Peut-être était-ce pour la plus grande gloire de Dieu, mais je n'oserais l'affirmer.

Mais de là à souhaiter constater de visu le passage du temps sur les corps et les visages! À quoi me servirait de voir des caricatures de ce que nous avons été? Un à un, je veux bien, mais en groupe? Refaire une photo de finissants? Il faut en finir de finir.

Et puis, il est peut-être imprudent de l'avouer ici, mais je ne me suis jamais senti complètement à l'aise dans ce contexte, à l'époque. Je venais d'un milieu ouvrier — je n'étais pas le seul dans cette situation — et je me sentais un peu étranger. J'avais le complexe du pauvre, que je n'étais pas. Je ne suis pas sûr du tout qu'en 1988, en revoyant ces têtes grises et blanches, je ne redeviendrais pas en quelque sorte le garçon qui, les cours terminés, devait aller travailler dans une épicerie. Il me semblerait que tous sont devenus des hommes, qu'ils ont réussi (comme on dit), et pas moi; qu'ils sont ambassadeurs, ministres, magnats de la finance. «Et toi, que fais-tu?» me demanderaient-ils. Je bredouillerais: «Des livres, des bricoles...» Je me sentirais encore vaguement commis d'épicerie. «Et tes livres, ça marche?» Je simulerais une quinte de toux. Probablement.

Plus profondément, j'aurais l'impression d'une certaine profanation. Pour ce genre de choses, je préfère le flou de la mémoire. Je garde de cette époque du collège quelques souvenirs que je ressors certains soirs de mélancolie. Je ne suis jamais revenu de ne plus avoir vingt ans. Bonne soirée, quand même, les quinquagénaires!

Écrivains

Je suis très nerveux, ce matin. Je ne tiens pas en place. Le Salon du livre de Montréal est à nos portes. Les livres, je connais. Du moins, je crois. Il y en a partout chez moi. Même dans ma bibliothèque. Pourtant, l'arrivée de cet événement me fait toujours peur. Un Salon du livre à Paris, je trouve l'idée sympathique. C'est loin, donc très culturel. Mais ici, à deux pas, j'ai peur.

J'ai déjà publié des livres. On est naïf quand on est jeune. On ne sait pas qu'imaginer des fariboles et les coucher sur papier fait de vous un créateur. Bien sûr on l'a deviné, mais on ne s'imagine pas les conséquences d'un tel geste.

L'écrivain n'est pas seul. Il se doit à la communauté qui l'a vu naître. Il est tenu de rendre des comptes. Vous croyiez, vous, l'impudent, qu'il suffisait de noircir deux cents pages et que la rumeur de la gloire parviendrait jusqu'à vous. Bien mal vous en prit.

Les salons du livre sont là pour vous le rappeler. Qu'est-ce qu'une manifestation de ce genre, sinon la vengeance du public sur l'écrivain? Il veut voir celui ou celle qui met son nom sur la couverture au-dessus du titre de l'ouvrage qu'il a acheté. Il veut voir et parfois toucher, comme au marché. La romancière au trait incisif est-elle si directe dans la vie? Et le poète qui parle de l'amour physique comme on ne parlerait pas de la balle au mur est-il vraiment un conquérant des cœurs? Les gens sont naïfs, ils ne savent pas qu'un livre est toujours un condensé et que pour arriver à une scène érotique les auteurs de sagas ont abrégé de multiples moments d'ennui. Leur conversation s'en ressent. Quand on leur parle, à ces décrocheurs d'étoiles, on a parfois l'impression de rencontrer un vieil oncle qui vient de promener le chien.

En tout cas, jamais je n'ai été aussi heureux d'être un écrivain confidentiel. Il m'a suffi de lire qu'un quidam pouvait gagner un repas en tête-à-tête avec un écrivain bien de chez nous pour refouler en moi tout désir de gloriole. Vous me voyez dîner avec un coureur olympique, amateur de belles lectures? J'aime autant ne pas y penser. Mes lecteurs, rares et d'autant plus précieux, ne se prêteraient pas à ce jeu. Ils sont aristocrates dans l'âme (qu'ils ont belle) et très pauvres. Par noblesse, ils raseraient les murs s'ils ne craignaient de se salir. Je les aime, et les aimerais davantage s'ils étaient plus fortunés.

Mais déjeuner avec un écrivain! Le choisir comme on choisit un homard! J'aurais préféré mourir sans voir cela. Comme si celui qui écrit son œuvre avec ses larmes, son sang et un peu avec son ordinateur pouvait être placé en vitrine, comme une prostituée d'Amsterdam.

Si cette société avait le moindre respect de ses écrivains, elle leur permettrait de choisir eux-mêmes leurs commensaux. L'écrivain pointerait du doigt la belle enfant qui aurait l'honneur de lui payer un repas dans un restaurant qu'il aurait détecté. Que de choses à changer! J'y songe chaque soir avant de mettre mon bonnet de nuit.

Dimanches

Enfin, nous voici rendus au lundi de Pâques. Ce n'est pas que je prise tellement cette journée. Le seul avantage qu'elle présente à mes yeux, c'est de n'être pas un dimanche. Du moins pas totalement.

«Je hais les dimanches», chantait Juliette Gréco. Moi, je ne les hais pas. Je les trouve insignifiants.

Il ne se passe jamais rien le dimanche. D'abord, les magasins sont fermés. Des devantures qui étaient accueillantes deviennent insolentes. Elles nous offrent des biens à consommer, mais pas tout de suite. Regardez, vous reviendrez demain. C'est cruel.

Vous me répondrez que les employés ont bien droit à un jour de repos. Mais qu'est-ce qu'ils font, ces employés, chez eux, sinon s'ennuyer comme vous et moi? La vraie liberté, ils la ressentiraient s'ils pouvaient aller, un dimanche, dans une boutique où l'employé, lui, n'a pas congé. Ils deviendraient de ce fait des favorisés de la vie, des petits-bourgeois.

Quand tout le monde a congé, personne n'a congé.

Quoi de plus triste qu'un travailleur habitué à travailler qui se trouve en congé? Ses traits n'ont pas la même rigueur. Il se laisse aller, sa démarche est plus lente, son élocution plus relâchée. L'âme elle-même a revêtu des bermudas.

S'il est un jour qui mérite ma prédilection, c'est le samedi. Le commerce marche à plein. Tous les genres de commerces. On fait la queue chez le boucher, à la pâtisserie, à la Société des alcools, au cinéma. Si on a de la chance, on peut même s'en prendre à un commis insolent. On ne s'ennuie pas, on participe à ce qu'il est convenu d'appeler la grande aventure humaine pour peu qu'on ait lu Saint-Exupéry.

Le dimanche de Pâques en remet sur les dimanches ordinaires. Il est ennuyeux comme ils le sont tous, mais en plus il est prétentieux. Bien que je doive admettre qu'il n'est pas déplaisant en soi de donner des lapins en chocolat à des enfants dont la jeunesse vous rappelle votre décrépitude, ou encore des fleurs à la vieille mère qui vous a infligé la vie, il y a dans l'air un renouveau qui n'a rien pour me séduire. Les gens se frottent les mains en se disant qu'ils sont venus à bout d'un autre hiver. Ils accueillent les beaux jours sans retenue. Ils exultent. C'est indécent.

En ce lundi de Pâques, je me sens démuni. Je regarde le ridicule œuf en chocolat qu'on m'a offert, fourré d'une crème dont la vue seule me soulève le cœur. Un autre printemps à vaincre. Et les magasins qui ne sont pas encore ouverts! Où sont-ils donc, ces employés? À faire la fête, j'imagine. Si au moins il faisait vraiment mauvais. Ce lundi n'est pas un vrai lundi. C'est un dimanche qui n'ose pas dire son nom. Cher Valery Larbaud, je pense à ce vers qui conclut l'un de tes poèmes: «Demain, tous les magasins seront ouverts, ô mon âme!»

Deux pigeons...

Notre vie est remplie de préjugés. S'il en est un que je ne comprends pas, c'est bien celui qui nous fait nous représenter les pigeons comme des animaux aimables. «Deux pigeons s'aimaient d'amour tendre», a écrit La Fontaine dans un moment d'égarement. Je veux bien admettre que les amoureux sont seuls au monde, mais pourquoi ces oiseaux-là ne prennent-ils pas en considération notre existence?

Pour me rendre à mon travail, je dois passer sous un viaduc. C'est là que vivent en bande des dizaines de ces volatiles malodorants. Ne semblant pas avoir le goût du voyage, ils se contentent de s'aimer. Le spectacle aurait de quoi réjouir ma sentimentale nature, mais pourquoi faut-il que leurs ébats soient si bruyants? Quant à la fiente qu'ils répandent sur le trottoir où je m'engage quotidiennement, elle n'a rien de romantique. Surtout à 5h30 du matin. Pourquoi les honnêtes travailleurs, dont je suis, devraient-ils souffrir les élans amoureux de ces oiseaux qui ne songent qu'à profiter de la vie?

143

Nous leur avons pourtant tout donné. Des édifices de tailles diverses, des monuments. Croyez-vous que c'est pour honorer un grand homme qu'on élève des statues, équestres ou non? Les pauvres sont morts depuis longtemps, brisés par la vie et leurs ambitions. Ce sont les pigeons qui profitent de ce culte de l'honneur posthume. Vous me parlerez des pigeons voyageurs. Je le jure, je n'ai jamais vu une de ces sales bestioles, un message à la patte. Trop flemmardes, trop occupées à enfanter des rejetons que nous entretenons à nous lever dès potron-minet. Quand je vois des désœuvrés leur donner du pain, je les enverrais au bagne. «Amants, heureux amants, voulez-vous voyager? Que ce soit aux rives prochaines.» La Fontaine, toujours. Le tort qu'il a fait! Pourquoi a-t-il appliqué ses vers sublimes aux pigeons? Pourquoi accorder un traitement de faveur à de tristes bêtes qui ne savent que roucouler et marcher de façon ridicule?

Comme je l'affirmais d'entrée, nous avons des préjugés. Le pigeon fait rêver, la vache non. C'est parfaitement injuste. La Fontaine aurait répugné à écrire: «Deux vaches s'aimaient d'amour tendre.» La pauvre n'a jamais eu la cote. Pourtant, c'est un animal sérieux, qui n'a pas une cervelle d'oiseau, et qui a une conception durable des rapports sociaux. Vous ne verrez jamais une vache s'envoler vers des relations fugaces. C'est un être aux vertus domestiques solides et campagnardes, qui a du cœur au ventre et un estomac spacieux. Entre un pigeon à l'œil méchant et une vache qui me regarde d'un air triste et généreux, je n'hésite pas. Elle nous donnerait du vin, en plus du lait, si nous lui en demandions. Et c'est une vache que j'aimerais voir suspendue sous le viaduc, pas un pigeon. Mais qui écoutera ma suggestion?

Franc-parler

J'avoue qu'au long de ma puissante carrière j'ai abordé des sujets plus faciles que celui dont je traite ce matin. Mais il ne faut pas craindre les embûches. Je veux donc faire l'éloge de l'hypocrisie.

Bien sûr d'une certaine hypocrisie. J'aime à la folie la sincérité plus qu'apparente. Je ne déteste pas qu'on me dise qu'il fait beau quand il fait beau et il ne me viendrait pas à l'esprit de douter de la bonne foi de qui prétend m'aimer. Ce genre de sincérité-là est belle à pleurer, et j'y crois d'emblée.

En revanche, il est une sincérité que je ne peux supporter. C'est celle que l'on baptise d'une expression dont l'énoncé même me fait frémir: le franc-parler. Peut-être comptez-vous parmi les gens que vous côtoyez à longueur de semaine de ces personnes qui se croiraient déshonorées si elles ne vous disaient tout de go que votre coiffure ne vous convient pas, que votre pull n'est pas assorti à la couleur de votre pantalon ou que vos oreilles sont franchement trop décollées.

Peu importe le ton sur lequel on vous dit ces choses, que vous reste-t-il après une rencontre de ce genre? Vous êtes devant votre miroir à vérifier si vraiment les pauvres oreilles ne pourraient pas être plus rapprochées de votre crâne. Pendant ce temps, la personne au franc-parler continue de faire des ravages. Elle n'aura de cesse qu'elle n'ait rencontré une dame pour lui dire que ses hanches manquent de rondeur ou que son teint est trop pâle. Mais oui, vous êtes devant la glace. Pour les oreilles, rien à faire. Pour la coiffure, il faudra attendre une dizaine de jours avant que les cheveux repoussent un peu. Quant au pantalon, vous finissez par admettre qu'il est bon à mettre au rebut.

Je préfère un hypocrite à ce genre de déchaîné qui sème le désarroi autour de lui par son franc-parler. Mais de quel droit répand-il la terreur? Qu'est-ce qu'on lui demande? Rien. Et il nous donnera tout, c'est-à-dire tout ce qui trouble, tout ce qui fait mal.

Devant un tel fléau, je ne connais qu'un remède: la fuite. N'essayez surtout pas de lutter à forces égales, vous perdriez à coup sûr. Tenter de riposter de la même façon à un énergumène épris de franc-parler équivaut à un suicide.

On pourra trouver mon attitude lâche. Tant pis. Je ne supporte pas l'agressivité, je ne prise pas les éclairages trop crus, les demi-teintes me sont un baume. Glisser, ne jamais appuyer. «Que ta réponse soit oui ou non», dit la Bible. Je préfère les «peut-être». La Bible affirme que ce l'on ajoute vient du Malin. À ce compte, Lucifer, je suis des tiens.

Le Québec à cheval

Vers la fin des années 70, il était de bon ton d'afficher son appartenance nationale. Le mot Québec se retrouvait partout. Notre terre avait des allures de paradis progressiste. À l'heure d'aujourd'hui, on emploie très peu ce mot.

Est-ce pour cette raison que j'ai été fort surpris l'autre jour d'apprendre l'existence d'un mouvement appelé Le Québec à cheval ? J'aime bien ces bêtes, auxquelles je ne reprocherais que d'être nées sans marchepied. Les jugeant inaccessibles, je me contente de les admirer de loin.

Mais le Québec à cheval! L'expression a de quoi faire rêver. Sur quoi le Québec est-il à cheval? Certainement pas sur les principes. Il n'en a plus. Il se vend ou plutôt se loue pour une bouchée de pain ou un peu d'électricité. Un éloquent symbole du Québec à cheval, tenez, serait notre premier ministre, qui ne parlera de la loi 101 que lorsque le pur-sang sur lequel il est assis sera sectionné.

Je ne fais pas d'équitation, j'aurais bien aimé pourtant. Quand j'étais enfant, les chevaux étaient les seules bêtes que le cinéma nous apprenait à aimer. À la salle paroissiale, le dimanche après-midi, après le mot de bienvenue du curé, il y avait bien Rin-Tin-Tin, sympathique bête qui venait à la rescousse des enfants, et qui donnait la patte fort civilement comme un politicien en campagne électorale. Mais qu'était-ce à côté des chevaux qui hennissaient de joie en supportant de monumentales brutes prêtes à massacrer joyeusement les Indiens au nom de la civilisation? Qu'elle était réconfortante, la paix sociale d'alors. Le doute n'existait pas.

J'aurais aimé être un justicier de cette trempe. Me promener à cheval et tirer sans remords sur tout ce qui me paraîtrait représenter l'injustice. Je serais le *Lone Ranger* partant à la défense des opprimés. J'enfourcherais mon coursier — j'ai lu Racine — et je partirais à l'assaut des racistes sanguinaires qui obligent de pauvres marchands sans défense à afficher en presque-français à Montréal.

Mais je ne sais pas aller à cheval. Inutile de m'en procurer un. En plus d'être encombrant, il ne me servirait qu'à aggraver mon insignifiance innée. Pégase, cheval ailé, symbole de l'inspiration poétique chez les Grecs, ne m'a jamais permis de m'envoler. Le Québec sera donc à cheval sans moi.

Il n'empêche que j'aime bien l'idée d'un Québec à cheval. Probablement parce que c'est un idéal inaccessible. Encore une fois, je serai passé à côté de mon époque. Pourquoi suis-je donc aussi étranger au monde qui m'entoure? Je ne piaffe pas en cadence.

Êtres humains, mes frères, je vous aime, laissez-moi entrer dans votre royaume. Avec mes gros sabots et mes perpétuelles hésitations, je suis toujours à cheval de toute manière. Un peu d'avoine, s'il vous plaît.

Misanthropie

Certains jours, je me ferais volontiers ermite. J'endosserais des monologues entiers du *Misanthrope*. Ce qui me distingue d'Alceste, c'est que je ne déteste pas vraiment l'humanité. J'aime même très sincèrement ceux qui achètent mes livres à l'état de neuf et qui ne consentent pas à les prêter, les amateurs de chats et de filet au poivre, les enfants sages et les touristes civilisés. Tout plein de gens, en somme.

Si je veux parfois me retirer du monde, c'est que certains de ses usages me déroutent. Pourquoi faut-il toujours présenter la personne qui vous accompagne à une troisième que vous rencontrez? En pareille occurrence, c'est immanquable, je ne me souviens jamais du nom qu'il faut trouver sur-le-champ. J'ai beau avoir recours à des moyens mnémotechniques, rien n'y fait. Les gens répugnent à se présenter eux-mêmes. On se demande pourquoi. Ce serait pourtant la plus élémentaire politesse. Pourquoi faut-il que ce soit toujours le pauvre diable qui sert de liaison entre deux inconnus qui se souvienne de tous les patronymes?

L'autre jour, j'ai croisé en un lieu plus public qu'il n'est décent un confrère écrivain pour lequel j'ai le plus grand respect. J'avais lu trois ou quatre de ses romans. Mais je n'ai pas pu le présenter à la dame qui m'accompagnait. Le seul nom que j'avais en tête était celui de François Mauriac. Pris de panique, je l'ai presque prononcé. Dorénavant, je sortirai seul. Si quelqu'un m'accoste, je l'entraînerai dans un couloir discret où je serai sûr de ne rencontrer personne. Vous me représenterez qu'il me faudra alors être bien sûr du nom du compagnon en question. Je m'accorde toutefois la compétence de soutenir une assez longue conversation avec une personne dont l'identité ne me serait pas évidente. Ce sont les présentations qui m'indisposent. Les propos que je tiens alors manquent de précision, je le confesse. Il y a des sujets à éviter. Presque tous. Je me contente de poser des questions.

Il m'arrive de me regarder dans la glace et de me demander qui je suis. Suis-je vraiment né sottement en 1933? Ai-je un nom, vais-je mourir, suis-je né? Comment voulez-vous qu'un être dans mon genre puisse se souvenir du nom des autres?

Pour ne plus perdre la face, je la dissimulerai. Dans un sac kraft ou une cagoule, je ne sais plus. Et je me méfierai des trous.

L'esprit de sérieux

Aucun doute, je n'aide pas ma cause en écrivant sur le mode léger les déconvenues que la vie m'occasionne. On ne me prend pas au sérieux. Si je dis que j'ai mal à la tête, on croit que je m'amuse d'un message commercial; si je me prononce sur l'état de l'éducation au Québec, on croit que j'ironise. Pour ne pas être en reste, on sourit.

Comment réussir à convaincre les gens de la profondeur de ma nature? Une activité littéraire acharnée d'une bonne trentaine d'années ne m'a pas valu d'être invité à donner une conférence à l'université. Si je suis bien prêt à considérer que je ne saurais parler bien longtemps de ma spiritualité, ou de celles des autres, il me semble que j'aurais pu à un certain moment de ma vie traiter de l'angoisse que je ressens face au temps qui nous échappe. C'était à l'époque où j'étais sous l'emprise de l'idée de la mort. Je m'en faisais toute une affaire. Les années venant, je me suis tellement habitué à l'idée d'être dans l'engrenage que je ne déplore plus de ne pas avoir le moyen d'y échapper. Ç'aurait été bien quand même de recevoir un doctorat *honoris causa*. J'aurais eu l'impression d'être quelqu'un dont l'avis compte.

J'aurai raté même cela. J'avais pourtant misé sur l'affaire, me disant que si l'expérience était concluante, je deviendrais petit à petit conférencier de carrière. Les colloques, les congrès, les rencontres internationales seraient mon fief. Du haut de mon petit podium, j'aimerais bien dominer mon monde. L'autre jour, pourtant, j'ai refusé une invitation du genre. Oh, il s'agissait d'une bien modeste tribune, d'un bien petit nombre d'auditeurs. Je doutais trop de moi. Et j'avais le goût d'être sérieux, sombre même. Comme j'avais senti que l'organisateur que j'avais au bout du fil s'attendait que je fusse léger, j'ai prétendu que je partais en voyage. Je pars toujours en voyage, c'est la seule excuse que je trouve. C'est à croire que je ne reste jamais chez moi à languir, songeant à ce poème de Saint-Amant:

Accablé de paresse et de mélancolie,
je resve dans un lit où je suis fagoté.
Comme un lièvre sans os qui dort dans un pasté,
ou comme un Dom-Quichot en sa morne folie.

Je suis dans une terrine et on ne me consomme qu'au dessert. Les plats de résistance ne sont pas mon fait. C'est un peu ma faute. Il aurait fallu que du temps de ma folle jeunesse je consentisse à me durcir un peu, à m'intéresser aux idées. Mais non, je croyais qu'il ne s'agissait que de fariboles qui durent le temps d'une saison ou deux et qui font l'objet de la passion de professeurs et de journalistes trop vieux pour être dangereux.

Pourquoi ai-je été fasciné trop tôt par la vanité de toute chose? Pourquoi ne me suis-je pas départi de cet esprit de dérision qui m'a placé d'emblée dans la marge de la vie? Et puis, c'est bien fait pour moi. À défaut d'être tenu pour un penseur important, ce qui aurait flatté ma mère, j'aurai eu plaisir à pratiquer l'art du tendre désabusement.

Le vieux quartier

Je ne vous nommerai pas l'écrivain que j'ai rencontré. Il ne faut pas faire de la publicité aux concurrents. Je ne lèverai le voile que sur un des éléments de notre conversation. «Mon cher Archambault, m'a-t-il dit, je suis étonné d'apprendre que votre enfance s'est déroulée dans le quartier de la Côte-Saint-Paul.»

Ce secteur de Montréal lui avait toujours paru infréquentable, peuplé de voyous. Il ajouta qu'il comprenait mal qu'un être doux comme moi ait pu vivre dans un pareil entourage.

Je n'ai pas su quoi lui répondre. Suis-je si doux? Il est possible en tout cas que le milieu dans lequel s'est déroulée mon enfance ait été un peu dur. Ça ne m'a pas frappé alors. Il y avait bien à l'école primaire quelques solides gaillards qui s'exerçaient au terrorisme. Mais comme j'étais raisonnablement costaud, et que la pratique des sports me convenait, on m'acceptait.

Que je pouvais être caméléon alors! Je voulais passer pour l'un de ceux qu'on ne ridiculisait pas. Premier en classe, redoutable distinction, je ne devais d'être épargné des sarcasmes qu'à mon habileté à frapper une balle et à courir.

Hypocrite avec ça! Poli avec les professeurs, sans jamais chercher à m'approcher d'eux, je médisais sur leur compte dès qu'ils avaient le dos tourné. Je craignais tellement d'être tenu pour un de leurs favoris. Cette manie me causa un bien vilain tour. Je devais avoir huit ou neuf ans. Un condisciple turbulent avait dû rendre visite au Frère Directeur pour insubordination, ce genre de visites se soldant généralement par des coups de courroie qu'assénait le Frère fouettard. On prenait l'éducation au sérieux en ces temps-là. Mais ne voilà-t-il pas que le méchant réplique qu'Archambault aussi a médit du professeur et des frères en général. J'ai eu droit, moi aussi, à la courroie. De ce jour, je me suis méfié autant des durs que des gens en poste.

L'été dernier, je me suis promené dans mon ancien quartier. J'espérais rencontrer quelques amis de l'époque. Nous aurions parlé de notre enfance commune. Le quartier avait bien changé. Je reconnaissais certaines rues, quelques maisons, mais dans l'ensemble je me sentais étranger. De signes extérieurs de dureté, je n'en vis aucun. Il est vrai que lorsqu'on se prépare à accueillir en soi le passé, on est tout près de la tendresse.

Je n'en suis pas sûr, mais j'ai croisé un quinquagénaire qui ne me paraissait pas inconnu. Était-ce ou non le petit rouquin qui jouait avec nous dans les champs vacants de La Salle? Je n'ai pas osé le lui demander. Il marchait péniblement, le dos voûté. Était-ce là ce qui était advenu de l'enfant vigoureux qui aimait tant, l'hiver, s'agripper aux pare-chocs des autobus?

La morale alors serait sauve. Il y aurait eu punition. De toute manière, il y a toujours punition, puisque l'âge vient toujours nous rattraper. Que l'on soit dur à cuire ou non.

Coïts

Que notre époque soit amorale, il n'en faut pas douter. Le cinéma est explicite, les journaux ne nous cachent rien. Ne voilà-t-il pas qu'un ami me tend une petite réclame dans laquelle on annonce des «coïts pas chers». Je vous l'avoue, j'ai été étonné. Je suis de l'époque où on ne présentait pas *Les amants* de Louis Malle à Montréal parce qu'il y était question d'une liaison traitée, disait-on, de façon complaisante. À mes débuts comme réalisateur, à la radio, on lisait sur la pochette des disques, devant le titre de certaines chansons, l'indication: *DON'T*. Il fallait une bonne dose d'audace pour passer outre à cet ordre, d'autant plus qu'il était formulé en anglais. Ç'avait l'air sérieux, presque militaire. On se disait qu'à enfreindre un tel règlement on aurait des ennuis.

Les belles choses se perdent, même les équivoques. On croyait souffrir parce qu'on interdisait des libertés. Ces censures nous permettaient tout de même d'aller à New York, voir Jeanne Moreau, et de nous griser de l'air pollué de Broadway. Au retour, on faisait tourner *Fais-*

moi mal Johnny de Boris Vian. Celle-là aussi avait des odeurs de soufre, et on se sentait un tout petit peu affranchi. On s'en tirait à bon compte, finalement.

Alors qu'actuellement, avec ces coïts pas chers qu'on peut atteindre à l'aide de lingerie érotique, service de vingt-quatre heures, discrétion assurée, on ne sait plus ce qu'il faut penser.

Le doute s'est installé en moi. Ai-je fait fausse route? Y a-t-il des plaisirs de la vie que je ne connaîtrais pas parce que je suis trop timoré? Ai-je payé trop cher mes coïts? Aurais-je trop dédaigné les accoutrements propices avant d'aller au lit? Sans entrer dans de trop intimes détails, n'aurais-je pas fait des ravages si j'avais revêtu un pyjama rose à dentelles ajouré sur la poitrine? Je me pose des questions. Le temps fuit. Je devrai faire vite.

Ce qui me retiendra, je le sens, c'est qu'il s'agit d'extases à bon marché. J'ai toujours eu horreur de la camelote. Mes paradis, je les veux d'accès difficile. Je ne tiens pas tant à la durée qu'à la rareté, qu'à l'inaccessibilité. Que me vaudrait au fond un nirvana à la portée de tous?

La vie est ailleurs, disait le poète. Pourvu que ce ne soit pas dans les petites annonces de ce genre. Si je suis troublé trop longtemps par cette licence, je demanderai qu'on interdise de telles pratiques. Après tout, les honnêtes gens ont des droits... s'ils n'ont pas de dessous trop affriolants.

De mon temps, on ne parlait que de *coït interruptus*. On savait se retenir.

Complications

On l'a assez proclamé, tous les goûts sont dans la nature. Il se trouve même des gens pour participer de leur plein gré à des colloques où l'on discute fort. Comment peut-on accepter de s'enfermer pendant deux ou trois jours dans une salle pour traiter d'un problème, quel qu'il soit? Il y faut, j'en suis sûr, une âme de missionnaire. N'y manqueraient que la longue tunique, la barbe blanche, non moins longue, et quelques aborigènes pour la touche exotique.

À Québec, on a colloqué au sujet de l'enseignement du français. Il s'est dit beaucoup de choses au cours de cette réunion. Je ne vous parlerai que d'une puissante idée avancée par la Centrale de l'enseignement du Québec. Il faudrait, paraît-il, simplifier le français, assouplir ses règles, en bannir les pièges et les exceptions.

À première vue, je serais contre toute tentative de ce genre. J'ai trop peiné pour apprendre que vingt et cent prennent un *s* lorsqu'ils sont multipliés par un autre nombre cardinal sans être suivis d'un autre chiffre; les subtilités de l'imparfait du subjonctif me donnent trop de joie, pour que je m'aligne sur ces vues révolutionnaires. Il faut pourtant être de son temps. Pourquoi suer sang et eau (belle difficulté que celle-là), pourquoi vouer les ignorants aux gémonies alors que la vie est si courte? On sait bien que la culture est une affaire bourgeoise et qu'au fond on n'est jamais aussi bien que dans sa cour arrière. À bien y réfléchir, on peut enlever plusieurs lettres à l'alphabet. Le *c* est parfaitement inutile, pouvant être remplacé parfois par le *k* et parfois par le *s*. Le *b* et le *p* ont à peu près la même fonction, pourquoi ne pas en supprimer un? Le *m* et le *n*, le *v* et le *w*, à quoi servent-ils au juste, sinon à faire de la peine aux enfants qui aimeraient bien mieux faire de la planche à roulettes en écoutant le dernier tube? Le *y*, c'est encore pire et ça fleure bon l'influence étrangère.

Combien d'heures la clientèle étudiante ne va-t-elle pas récupérer si mon plan est accepté par le ministère de l'Éducation? J'ose à peine y penser. Il y a aussi que j'aspire à une réédition simplifiée de mes livres. Les jeunes ne me lisent pas parce qu'ils n'ont que faire de mes phrases compliquées. La CEQ finira bien par simplifier tout cela. Finies les simagrées, finis les tours de passe-passe sibyllins. Mes romans seront accessibles au plus grand nombre Enfin, on me lira comme on lit un best-seller à la mode.

Pouvu qu'on ne me demande pas de remplacer mes textes par des dessins. Je devrais alors déclarer forfait. À moins que pour le dessin aussi, on ne souhaite que nous devenions primaires. Pourvu qu'on en parle au prochain colloque!

Mariages

Les Québécois se marient moins. Des statistiques récentes nous l'apprennent. Mais que trouvent-ils donc tous au célibat? Cet état de vie est pourtant singulier, exténuant et parfois immoral. Il est connu que les égoïstes qui auront cherché leurs aises plutôt que de se sacrifier dans les liens sacrés de la matrimonie finiront leur vie dans la solitude, la détresse, n'ayant pour tromper leur vague à l'âme que leurs maladies et pour les troubler que les appels anonymes des maîtresses qu'ils auront laissé tomber.

Pendant ce temps, le père de famille vivra heureux, entouré de ses petits-enfants qui joueront dans sa barbe blanche et patriarcale. Il ne sera jamais malade et se laissera bercer par le courant d'amour qui balaiera sa maison à longueur de journée.

Ce sont des vérités que je me répétais, hier soir, en prenant connaissance de cette nouvelle alarmante. Nos contemporains ne veulent plus se marier. Le font-ils qu'ils se dépêchent de divorcer, comme s'ils avaient honte. Je ne suis pas fier de ma conduite, remarquez, ne m'étant pas marié récemment.

Parmi les excuses qu'on avance, il y a l'activité professionnelle. On ne se marierait pas à cause de la carrière que l'on entend mener. Cette excuse ne me convainc pas du tout. Des gens qui ne peuvent mener de pair deux activités, celle de mari et celle de cadre, me paraissent bien limités. Pouvait-on s'imaginer avant aujourd'hui qu'il faille être époux ou gérant de caisse populaire à plein temps? À ne choisir que l'une des voies à la fois, on se destine à une vie pavée d'échecs.

De toute manière, il est évident que ce sont les mariages d'amour qui ont mené l'institution à l'état lamentable qu'elle connaît actuellement. À l'époque où on se mariait par intérêt, dans les familles aisées, on additionnait les comptes en banque et les actions majoritaires. Parfois, l'amour venait entre les jeunes gens. La plupart du temps, toutefois, ces derniers trouvaient ailleurs des compensations. La morale en souffrait un peu, mais cela fournissait l'intrigue de quelques romans que les épouses délaissées aimaient lire, et l'institution du mariage progressait.

Je propose donc le retour en force d'une pratique qui a permis la mise en place et le développement de l'hyménée comme mode de vie. Plus question d'amour. Seulement de mariage. Notre société se meurt de la mort du mariage. Qu'il était consolant, à l'époque, de voir, le samedi matin, le joyeux cortège des mariages. Ils se succédaient à un rythme affolant. La mariée était toujours en blanc, le marié avait toujours l'air de s'être trompé de noce. Il y avait toujours au moins deux oncles qui avaient trop bu et une cousine dont la robe était trop décolletée. On se ruinait pour ces cérémonies-là, on était donc tenu par la suite de rester à la maison et de faire des enfants, qui bientôt se marieraient à leur tour.

Qu'il est pénible d'assister à l'agonie d'une civilisation! Tant de choses auxquelles on a cru et qui ne seront bientôt que souvenirs. Ce constat ne me poussera pas cependant à souhaiter qu'on abandonne le célibat des prêtres. On a des principes.

Graffiti

Depuis le jour où mon fils, il y a de cela une dizaine d'années, m'avait tout doucement fait remarquer que j'étais un pollueur puisque je jetais par la fenêtre de mon auto un papier dont je n'avais plus l'usage, je suis devenu très conscient de la propreté des endroits publics. La vue d'une boîte de conserve ou d'une canette qu'on a déposée à terre plutôt que dans une poubelle prévue à cet effet m'indispose.

Il n'est donc pas étonnant que les graffiti qu'on peut voir un peu partout dans la ville m'agacent. En règle générale, ils sont rédigés en anglais. La plupart du temps, ils ont été inspirés par la musique rock. Peut-être serais-je plus indulgent si je voyais sur une clôture une inscription vantant l'un ou l'autre de mes livres. Je complèterais probablement une citation imprécise.

Il est rare que l'obscénité y trouve son expression. Les latrines des lieux publics sont à cet égard l'endroit d'élection. L'érotisme qui s'y exprime est primaire, vulgaire. Se sachant à l'écart des regards d'autrui, le scribouilleur laisse libre cours à ses phantasmes les plus grotesques. C'est l'érotisme du pauvre, la fête du machisme le plus bête. Était-il de cet acabit, l'amoureux éconduit qui avait écrit en caractères gras sur une porte de métro que Jeanne et Marie-Paule étaient des lesbiennes? Le graffiti est rarement courageux. Vous ne verrez jamais quelqu'un écrire des slogans vengeurs sur les murs de sa maison. On veut bien proclamer la fin de l'apartheid et souhaiter la victoire du tout sur le rien, mais la peinture pour exprimer ce désir de changement s'applique mieux sur d'autres demeures que la sienne.

Depuis l'arrivée sur le marché de bombes à peinture, point n'est besoin d'un attirail compliqué. On devient révolutionnaire à peu de frais.

Il me semble qu'il est rarissime qu'on réussisse des graffiti dont l'intelligence, l'humour ou la finesse soient le trait dominant. C'est le lieu privilégié de l'affirmation totale. Les lettres sont rarement bien tracées. Le souci esthétique a été gommé au profit de la dénonciation rageuse. On sent que l'anarchiste craignait d'être saisi sur le fait. Alarmiste de nature, l'auteur de graffiti craint toujours le spectre de l'agent qui lui mettra la main au collet. Dernièrement, un amateur de vieilles reliques coloniales exprimait son désir de voir conserver la façade sûrement fort historique de l'hôtel Queen's dans un français si boiteux qu'on aurait offert une prime aux démolisseurs pour qu'ils accélèrent leurs travaux.

Je me demande parfois pourquoi je supporte aisément les panneaux-réclames qui nous inondent et que je suis si souvent irrité par les graffiti. C'est, j'imagine, un besoin d'ordre, que plus jeune je n'avais pas. On peut contester contre une affiche mal rédigée ou insignifiante; devant un graffiti, on ne peut que soulever les épaules. Et puis, c'est la faute de mon fils, il n'avait qu'à ne pas m'empêcher d'être un pollueur. Il m'a donné la foi, je suis devenu intégriste.

Incompétences

L'incompétence est partout. On la subit autour de soi, on la tolère, on la vitupère, mais jamais on ne la célèbre. Le mépris n'aura qu'un temps. Incompétents du monde, je vous salue!

Guidé en cela par Flaubert qui prétendait qu'il est parfois très doux de causer avec un imbécile, j'avance tout de go que les incompétents apportent aux êtres délicats et un peu timorés ce qu'il faut d'assurance pour continuer à prendre au sérieux la vie quoi qu'ils en aient. À se comparer aux plus grands, on s'amoindrit, on se fane. Tandis que la simple rencontre d'un incompétent notoire réjouit à coup sûr les natures bien disposées.

Il est d'ailleurs consolant de constater que cette notion d'incompétence s'adapte facilement à toutes les classes de la société. Les barrières sociales lui sont inconnues. Un chef est souvent un incompétent pour ses subalternes, qu'il flanquerait volontiers à la porte. Il faut toutefois souligner que l'incompétence des chefs est toujours arrogante, alors que celle des inférieurs attire la compassion. On rapporte sur un ton méchant que le commandant s'est trompé de chaussettes mais on sourit en racontant l'histoire du soldat qui a tiré sur son lieutenant, qu'il avait pris pour un ours.

Les incompétents que je préfère sont ceux qui ne sont pas sûrs d'eux. Ils aimeraient être aimés pour des qualités qu'ils ne possèdent pas. Ils ne sont pas heureux d'aller au travail le matin, même si leur compagne n'a rien fait pour les retenir à l'appartement cinq minutes de plus. Ils savent qu'ils ne seront pas bien accueillis. Ils devront pendant au moins sept heures jouer le rôle du connaisseur, et ils ne connaissent rien. J'ai toujours été ému par cette faille que je trouvais en eux. Ils vivent cachés, ils rasent les murs.

On pourrait croire que je n'ai jamais souffert de l'incompétence des autres. J'admets que si j'ai été agacé par ce travers, je n'en ai jamais vraiment pâti. La peine que j'ai ressentie à la suite de l'un ou l'autre de leurs gestes n'a pas de commune mesure avec l'insécurité qu'ils connaissent. Je n'ai jamais craint qu'une chose dans la vie, c'est la méchanceté.

Les incompétents me font le même effet que les êtres atteints d'impuissance physiologique. On fait des gorges chaudes au sujet des hommes qui ne possèdent pas la clé de leur plaisir sexuel. Ils voudraient bien, mais... Les incompétents, en cela, leur ressemblent.

Ils me semblent parfois tellement dépossédés que je serais porté à les adopter, un à la fois. Je leur parlerais lentement, en les regardant dans les yeux, et en répétant deux fois plutôt qu'une. Mais advenant guérison, où prendrais-je le contentement que je ressens de m'adresser à un incompétent? Où retrouver la fragilité de ce regard?

Modernités

Événement dans ma vie. Un employé est venu installer à mon bureau un nouvel appareil téléphonique. Remarquez, moi, je me serais bien contenté de l'ancien. Sa couleur noire me plaisait, aussi mortuaire que l'embarras dans lequel cet instrument de torture me met. Tandis que l'autre, de couleur pâle, affecte des airs de modernité. Et compliqué avec ça. Il paraît que je peux, grâce à lui, faire des «appels conférence». La belle affaire! Je ne supporte même pas les conférences que je donne. Autre caractéristique, il peut acheminer tous les messages si je le programme bien. Comment prétendre alors qu'on n'a pas eu un message? Il va me falloir parler à tous ces gens. Les raseurs, les mécontents, les créanciers. Je n'ai pas fini d'apprendre le fonctionnement d'une bonne douzaine de boutons-pression qui me regardent d'un air méchant. Peut-être saurai-je que je peux écouter les appels dits confidentiels de la haute direction. Je me sens déjà indiscret.

Ce qui me réjouit tout de même un peu, c'est que

mon numéro n'est plus le même. Et je n'ai donné le nouveau à personne. Pendant quelques semaines, je serai donc tranquille. Seuls les débrouillards réussiront à me joindre. Je pourrai roupiller à mon aise ou songer à des voyages au long cours.

Je préfère ne pas être présent au bureau lorsqu'on viendra enlever le vieil appareil à cadran. Pour l'heure, il est toujours à côté de l'autre, le très contemporain. Si on l'arrache trop brutalement, je pourrais pleurer. Je serais porté à le flatter comme un vieux cheval qu'on mène à la mort. Je lui permettrais une dernière cigarette. Même s'il m'a torturé souvent, c'était un bon bougre au fond. Il ne m'a jamais fait d'histoire parce que je laissais sonner longtemps sans décrocher. Il m'a permis d'apprendre quelques bonnes nouvelles, il a vieilli avec moi. Tandis que l'autre... Je l'abhorre. Aussi prétentieux qu'un ordinateur.

Le téléphone est du reste devenu une obsession. De plus en plus d'automobilistes se servent d'un appareil dit cellulaire. J'imagine d'avance les conversations de ces hommes d'affaires de second ordre. Comment peut-on choisir l'auto, considérée comme un outil de liberté, pour y installer un appareil qui est l'emblème par excellence de l'esclavage? Je ne comprendrai jamais l'humanité. Surtout celle qui téléphone.

Passions

Je devais bien avoir vingt ans à l'époque. Ce n'est donc pas d'hier. J'étais fasciné par une jeune fille dont on disait sur le ton de la confidence qu'elle était passionnée. Je ne savais pas au juste ce que signifiait l'expression. Ceux qui l'employaient devaient bien aussi l'ignorer.

Tout de suite j'en ai eu peur. La passion est comme une maladie terminale que l'on ne souhaiterait pas même à son pire ennemi. C'est ce que je pense à présent. À l'époque, je me contentais de m'en tenir loin. Je ne voulais pas d'une petite amie qui m'empêchât de vivre. Peut-être ai-je exagéré, mais je m'imaginais que si j'étais agréé auprès d'elle — ce qui n'était pas sûr — je n'aurais plus la paix.

L'ayant un jour rencontrée au sein d'un groupe, elle me demanda tout de go si j'étais passionné. Une obsession chez elle. Je bredouillai quelques mots à peine intelligibles, d'où il ressortait que je tentais à la mesure de mes moyens de ne pas être trop terne. Elle a paru déçue. Je m'étais classé d'emblée parmi les tièdes.

J'ai regretté de ne pas avoir un tout petit peu menti. Elle était si belle avec ses yeux verts que je n'osais pas regarder trop fixement. Qui sait si avec un peu d'audace je n'aurais pas pu en faire la conquête. C'est ce que l'on disait alors, se croyant pirate à bon compte. Une semaine plus tard, je me consolais auprès de Solange qui était moins aguichante mais qui se pâmait pour les billets que je lui envoyais. Les desseins de la littérature sont impénétrables. Et Solange ne me téléphonait pas la nuit comme il arrivait à Madeleine de le faire lorsqu'elle sentait monter en elle les effluves de la passion.

Je ne serais pas étonné d'apprendre que la jeune fille exaltée de jadis est devenue bien raisonnable à présent. Je l'imagine volontiers à la tête d'une famille de trois ou quatre enfants turbulents à qui elle aurait tenté d'inculquer le sens de la mesure.

La passion est un sentiment intenable. Elle est incandescente. On s'y brûle soi-même à la moindre insistance. Surtout si, comme moi, on n'est pas doué pour la pyrotechnie.

Sache, Madeleine de mes vingt ans, que tu m'as bien impressionné, malgré tout. Il s'en est fallu de peu pour que je m'approche de toi. Je serais peut-être ton compagnon à l'heure d'aujourd'hui. Nous aurions appris ensemble à devenir raisonneurs et peut-être raisonnables.

Mais je n'y pouvais rien, Madeleine, j'étais trop timide pour oser être ce que tu souhaitais que je fusse. Et paresseux avec ça. Je ne voulais pas d'une prison d'amour. Tu le disais sans ambages, pour toi il fallait se fondre dans l'autre, ne pas le quitter d'un pas, trouver dans sa contemplation le secret de sa joie. Je me serais fait écumeur des mers pour échapper à ce destin. J'avais une petite nature, et un peu trop d'ironie pour prendre l'amour au tragique. Mais j'ai quand même été soulagé de pouvoir jeter de temps à autre sur la passion, que tu aimais tant, un regard oblique et complaisant.

Feu Gilles Archambault

Ce n'est pas parce qu'on a le plus profond respect du professionnalisme des autres qu'il faut leur abandonner le soin de tout faire. Les éloges funèbres, par exemple, pourquoi ne pas s'en occuper soi-même? Libre aux amis, aux ennemis et aux indifférents de gloser à leur façon, le moment venu.

C'est donc de moi que je veux vous entretenir, d'une manière qui soit la plus neutre possible. Puisqu'il s'agira d'un ex-moi en quelque sorte. Je m'efforcerai donc d'avoir à mon endroit un détachement d'outre-tombe.

De mes funérailles, je dirai peu. Je les souhaite discrètes. Deux ou trois invités, cinq au maximum. Qu'il s'y trouve une femme n'aura rien pour me déplaire. Si un officiant tient à travailler ce jour-là, qu'il laisse cours à ses penchants. Il y a longtemps que s'est éteint en moi le moindre sentiment anticlérical.

Qu'on me permette toutefois de m'opposer à ce qu'un quelconque intégriste fasse l'intéressant à mes dépens, profanant ainsi ma sépulture. S'il faut un curé, que ce soit un prêtre à soutane. Il ne se permettra pas de me tutoyer. Je pourrais, le cas échéant, sortir de mon cercueil.

Si des paroles doivent être prononcées, je propose qu'on dise que je n'ai jamais très bien compris la vie, ni au reste ceux qui prétendaient la comprendre. Les livres, et même ceux que je n'ai pas lus, m'ont soutenu. J'ai toujours senti leur présence. Je n'avais qu'à faire un geste pour me les approprier, puisqu'ils m'entouraient.

De la musique, que j'ai beaucoup aimée, pas toujours avec le discernement souhaitable, trouvant plaisir à fredonner les pires inepties, je peux dire qu'elle m'a occupé depuis l'adolescence. L'amour de la musique a été plus désintéressé chez moi que celui que j'ai eu pour la littérature. N'ayant jamais songé à devenir musicien, j'ai pu écouter un quatuor, une sonate ou un blues sans cet esprit charognard du lecteur-écrivain que j'étais.

Si le curé ou son mandataire est en forme, il pourra ajouter que je n'ai pas détesté le travail, que les femmes n'ont jamais cessé de me troubler, que la vue d'un enfant a toujours fait fondre en moi la moindre velléité de dureté.

Avec ces quelques lignes, l'auteur de mon éloge funèbre pourra se débrouiller. Qu'il n'ajoute pas que j'ai écrit des romans, des chroniques et des nouvelles. Ces détails trop intimistes me blesseraient. Quoi qu'il arrive, mes amis ne supporteront pas d'être ennuyés trop longtemps. Il y aura bien l'un d'entre eux qui aura mal aux dents, un autre devra passer chez le notaire, le printemps aura mis des idées de liberté dans la tête d'un troisième.

Il n'empêche que je l'aimais bien, cet idiot d'Archambault. Pas toujours, mais souvent. Quand il me parlait de Paris, pour qui il avait des tendresses presque puériles, ou de New York qu'il arpenta tant de fois. Vous voyez qu'il est de multiples détours pour apprivoiser la mort. La plus sûre, pour ce crétin d'Archambault, consistait à se tenir pour mort. Cette conviction étant acquise, rien de bien important ne pouvait plus lui arriver.

Vous remarquerez que j'emploie indifféremment le «je» et le «il» pour parler de ce moi posthume. Étant un gisant, je ne vois pas pourquoi je me gênerais. Vous croyez qu'ils se gêneront, les autres, pour dire que j'avais mauvais caractère, que j'écrivais des livres insignifiants, que j'étais égoïste, que j'étais un faible, etc.

Plus j'y songe, moins je souhaite au fond qu'il y ait un service funèbre. Ma mort laissera un grand vide, mais qu'au moins il soit silencieux. Je dois bien cela à cette crapule d'Archambault qui m'a quand même fait passer de bons moments quand sa mélancolie n'était pas trop obsédante.

Les chroniques réunies dans ce recueil ont été soit publiées dans *Le Devoir, Liberté, Le livre d'ici* ou *Québec français*, soit rédigées pour être lues à la radio, dans le cadre de l'émission *CBF Bonjour*. Dans tous les cas, elles ont été récrites en vue de cette publication.

Table

Ce deuxième tirage
a été achevé d'imprimer en avril 1993
sur les presses de l'Imprimerie Marquis
à Montmagny, Québec